XII

ALICE ET L'ÉPOUVANTEUR

Joseph Delaney vit en Angleterre, dans le Lancashire. Il a trois enfants et sept petits-enfants. Sa maison est située sur le territoire des gobelins. Dans son village, l'un d'eux, surnommé le frappeur, est enterré sous l'escalier d'une maison, près de l'église.

À Marie

Ouvrage publié originellement par The Bodley Head,
un département de Random House Children's Books
sous le titre *Spook's : Alice*
Texte © 2013, Joseph Delaney
Illustrations intérieures et de couverture © 2013, David Wyatt

Pour la traduction française
© 2015, Bayard Éditions
18, rue Barbès 92128 Montrouge Cedex
ISBN : 978-2-7470-5358-7
Dépôt légal : février 2016
Sixiéme édition – janvier 2020

XII

ALICE ET L'ÉPOUVANTEUR

Traduit de l'anglais (Grande-Bretagne)
par Marie-Hélène Delval

JOSEPH DELANEY

bayard jeunesse

« Voici quels moyens rendraient possible la destruction du Malin. Premièrement, tenir en main les trois objets sacrés. Ce sont des armes de héros, forgées par Héphaïstos. La plus grande est la Lame du Destin ; la deuxième est le poignard appelé Tranche Os, qui t'a été remis par Slake. La troisième est la dague nommée Douloureuse, ou parfois Lame du Chagrin, que tu devras reprendre à l'obscur.

Le lieu choisi devra être favorable à la pratique de la magie. C'est pourquoi le rituel sera célébré sur une haute colline à l'est de Caster, appelée la Pierre des Ward.

Le rite du sacrifice sanglant sera exécuté de manière précise. On construira un feu, capable de produire une chaleur intense. Pour cela, on bâtira d'abord une forge.

Tout au long du rituel, la victime consentante devra faire preuve d'un grand courage. Que la douleur lui arrache un cri, et tout sera perdu.

À l'aide de Tranche Os, on prendra les os du pouce à la main droite de la victime et on les jettera au feu. On fera de même avec ceux de la main gauche, à condition que la victime n'ait pas crié.

Après quoi, avec Douloureuse, on découpera le cœur de la victime, qui sera jeté encore palpitant dans les flammes. »

Extrait de Grimalkin et l'Épouvanteur.

Il existe bien des mots pour désigner l'Enfer.
Certains le nomme le Monde d'en Bas,
d'autres, les Hadès ou les Abysses.
Nous, les sorcières,
l'appelons simplement *l'obscur*.
Nous en venons.
Nous y retournerons.

Le point le plus élevé du Comté
est marqué par un mystère.
On dit qu'un homme a trouvé la mort à cet endroit,
au cours d'une violente tempête,
alors qu'il tentait d'entraver une créature maléfique
menaçant la Terre entière.
Vint alors un nouvel âge de glace.
Quand il s'acheva, tout avait changé,
même la forme des collines
et le nom des villes dans les vallées.
À présent, sur ce plus haut sommet des collines,
il ne reste aucune trace de ce qui y fut accompli,
il y a si longtemps.
Mais on en garde la mémoire.
On l'appelle *la Pierre des Ward.*

1

Le prix à payer

N'avais-je pas été élevée pour devenir sorcière ?
Lorsque j'ai fait la connaissance de Tom
Ward, l'apprenti de l'Épouvanteur, nous aurions dû
être ennemis. Or, après des débuts incertains, nous
sommes devenus amis. J'ai combattu l'obscur à ses
côtés, et c'est à cette époque que j'ai appris la terrible
vérité sur mon origine : j'étais l'une des filles du
Malin, et Lizzie l'Osseuse était ma mère.

J'ai pourtant continué d'apporter mon aide
à Tom et au vieux Gregory. En dépit de mes anté-
cédents, je refusais de me laisser entraîner vers
l'obscur. Ensemble, nous avons affronté le Malin,
et avec le secours de Grimalkin, la sorcière tueuse,

nous lui avons porté un coup terrible : après l'avoir décapité, nous l'avons fixé au sol avec des lances en argent, de sorte qu'il demeure emprisonné dans sa chair morte.

Sachant que ses serviteurs nous pourchasseraient sans relâche, Grimalkin a emporté sa tête, après l'avoir enfermée dans un sac de cuir, bien décidée à la défendre contre quiconque se mettrait en travers de sa route. Elle finira par être prise, j'en suis sûre ; ce n'est qu'une question de temps. La plus puissante des tueuses elle-même ne viendrait pas à bout d'autant de créatures de l'obscur. Dès qu'elles auront abattu Grimalkin et repris la tête, elles la rapporteront en Irlande pour la réunir au corps. Le Malin retrouvera sa liberté ; il imposera alors au monde un nouvel âge de ténèbres et de terreur.

Il nous reste une dernière chance de l'arrêter et de le détruire une fois pour toutes. Mon ami Tom Ward doit accomplir un sacrifice rituel à minuit, à la prochaine célébration d'Halloween, dans moins de quatre mois. Il utilisera trois lames, qu'on nomme les épées du héros. Deux de ces armes sont déjà en sa possession ; la troisième est cachée dans l'obscur, et c'est à moi de l'en retirer.

Les détails du rituel lui ont été communiqués par sa propre mère, qui a été la première et la plus redoutable des sorcières lamias. Elle est morte en Grèce en combattant l'Ordinn[1], l'une des figures des Anciens Dieux. Mais son esprit est toujours puissant, et elle nous a soutenus dans notre lutte.

Or, Tom m'a dissimulé quelque chose concernant le rituel ; quelque chose qu'il m'a fallu découvrir par moi-même...

La victime devra être consentante. Et Tom devra sacrifier l'être qu'il aime le plus au monde.

Moi.

Je me suis donc mise en route vers l'obscur, afin d'en rapporter la dague nommée Douloureuse – la lame qui servirait à me tuer.

Savez-vous ce qu'il y a de pire que l'obscur ? Ce sont les êtres qui l'habitent... Quantité d'ennemis m'y guetteraient, des serviteurs du Malin. Et j'y serais seule. Aussi, j'usai de ma magie pour me rendre invisible, sans être certaine de son efficacité.

J'avais déjà pénétré une fois dans l'obscur, quand le Malin m'y avait jetée[2]. Comme tous les Anciens Dieux, Pan y a sa demeure, un territoire qui n'appartient qu'à lui. Il m'avait secourue. Il m'avait ramenée dans le monde.

---

1. Lire *Le sacrifice de l'Épouvanteur*.
2. Lire *Le destin de l'Épouvanteur*.

Pan défend sa tranquillité et ne fait pas bon accueil aux intrus. Si je réussissais à entrer de nouveau dans son domaine, aucun de mes ennemis ne m'y attendrait. Évidemment, rien ne me garantissait que cette fois, en représailles, il ne me détruirait pas.

Pan peut apparaître sous deux aspects. L'un d'eux, que je souhaitais ne jamais découvrir, est terrible. La seule vision de ce visage-là rendrait fou n'importe qui. J'espérais avoir la chance de m'adresser à l'autre...

Bien qu'appartenant à l'obscur, Pan est aussi le dieu de la Nature. Il n'habite jamais loin de notre monde. Quiconque s'est trouvé seul en pleine forêt a pu sentir parfois son approche, quand tout ce qui respire semble retenir son souffle. Plus un froissement de feuille, plus un murmure de vent. On a le sentiment d'une présence immense et invisible.

Pan est là.

Je me dirigeai donc vers un espace boisé au sud-est de Chipenden, à proximité du cours de la Ribble. Si je revenais saine et sauve avec la dague, je n'aurais pas loin à aller pour retrouver Tom Ward.

Après avoir choisi un lieu écarté, je m'assis dans l'herbe, adossée au tronc d'un arbre. Pour maîtriser mon appréhension, je respirai lentement, profondément. Puis je guettai les conditions favorables.

À l'approche du crépuscule, un profond silence enveloppa les bois, et je sus que Pan allait se manifester. Il me semblait qu'il se tenait derrière un rideau, si près qu'en tendant la main, j'aurais pu le toucher.

Je me servis de ma magie pour pénétrer dans son domaine. Ce fut plus difficile que je ne m'y attendais. C'était comme chercher à tâtons une serrure minuscule sur une porte gigantesque. Je mis si longtemps à la localiser que je crus ne jamais y arriver. Puis, soudain, je franchis ce seuil invisible, avec un mélange de jubilation et de nervosité teintée de peur.

Je me tenais près d'un lac dont la surface verte étincelait. Pourtant, il ne reflétait pas la lumière, car le ciel, au-dessus, était noir. Autour de moi, tout émettait cette lueur, même les troncs d'arbre. Le vert, couleur de la nature, est la couleur de Pan.

Les grands roseaux qui bordaient le lac et les jeunes frênes, sur la rive opposée, demeuraient parfaitement immobiles. Le seul mouvement était celui de ma poitrine qui se soulevait et se creusait au rythme de ma respiration. Je m'efforçai de la ralentir en inspirant profondément à trois reprises.

Je devais garder mon calme.

Au-delà des frênes, je distinguais la lisière d'une forêt, de hauts arbres à feuilles caduques d'une espèce que je ne connaissais pas. Ils étaient en pleine flo-raison, comme au début du printemps. Des fleurs ni roses ni blanches, mais vertes elles aussi.

J'eus l'impression que cette forêt était vivante, qu'elle écoutait mon souffle haletant et les batte-ments désordonnés de mon cœur. Le mot «panique» vient du nom de Pan ; on dit que ceux à qui il appa-raît sous son aspect horrible ressentent une terreur incontrôlable. Peu de gens ont survécu pour le raconter.

Allait-il se montrer ainsi ?

J'entendis alors au loin des notes de musique, claires, légères. Pan, sous sa forme bienveillante – du moins je l'espérais –, jouait de sa flûte de roseau.

Je contournai le lac vert, traversai la ligne des frênes et pénétrai dans la forêt. Guidée par la mélodie, je parvins au bord d'une vaste clairière envahie de fougères. Une foule d'animaux les avaient aplaties : des sangliers, des lapins, des musa-raignes, des campagnols, un couple de blaireaux et un renard roux à la queue touffue. Au-dessus d'eux, les branches ployaient sous le poids d'une multitude d'oiseaux. Tous se tenaient immobiles, silencieux, fascinés par la musique exquise.

Un jeune garçon à la peau très pâle, les cheveux aux épaules, jouait du pipeau, assis sur une souche. C'était Pan, tel que je me souvenais de lui, avec son vêtement de feuilles et d'écorces. Son visage aurait été humain sans les longues oreilles qui pointaient hors de sa tignasse en désordre. Les ongles de ses pieds nus étaient si longs qu'ils se recourbaient en spirale.

L'Ancien Dieu se tourna vers moi et cessa de jouer. Aussitôt, le sortilège musical fut rompu; les bêtes de la forêt détalèrent, tandis qu'une nuée d'oiseaux s'élevait vers le ciel, laissant les branches se balancer au-dessus de nos têtes. L'instant d'après, nous étions seuls.

Il me fixa, et l'expression bestiale qui déforma son visage m'emplit d'une terreur glacée. L'aimable garçon s'apprêtait à disparaître pour me présenter une apparence effroyable!

— S'il te plaît! criai-je. Je suis Alice. Tu ne te souviens pas de moi? Tu m'as secourue, un jour. Je t'en prie, écoute-moi! Je ne veux pas t'offenser!

À mon grand soulagement, la transformation cessa; le jeune garçon réapparut, mais son visage affichait une extrême gravité, sans l'ombre d'un sourire. Puis, avec un regard de colère, il me lança d'une voix sèche:

— Je te trouve bien audacieuse. Qu'est-ce qui m'empêche de t'anéantir sur-le-champ?

— Je n'ai pas de mauvaises intentions, repris-je. Pardonne-moi de m'être introduite chez toi sans permission ! Je te suis infiniment reconnaissante de l'aide que tu m'as apportée, il y a quelque temps. J'ai de nouveau besoin de ton assistance. Il me faut extraire un objet de l'obscur, et ici, c'est le seul endroit par où je pouvais entrer sans danger : les nombreux ennemis qui me guettent n'oseraient jamais pénétrer chez toi.

– *Toi*, tu as osé ! Pareille présomption se paye cher.

– Je paierai ce que tu voudras, pourvu que tu me laisses la vie. Je ne crains pas la mort – toute créature doit mourir un jour –, mais je dois absolument trouver une lame cachée sous le trône du Malin. Guide-moi seulement jusqu'à la frontière de son domaine et permets-moi de m'échapper ensuite par le chemin qui m'a conduite à toi.

Pan parut intrigué.

– En quoi cette lame est-elle si importante pour toi ?

J'avais appris par scrutation que je devrais être sacrifiée. Alors que Tom Ward gisait inconscient après sa bataille contre Siscoï, le dieu vampire, j'avais retiré une lettre de sa poche. Pour l'avoir lue et relue, j'en avais mémorisé chaque terme. Je ne voyais aucune raison de ne pas les révéler au dieu. Après tout, il savait déjà par quel moyen nous avions entravé le Malin. C'était cet affaiblissement du pouvoir du Malin qui avait permis à Pan de me ramener au monde d'en haut.

– Trois objets sacrés seront nécessaires à Tom Ward pour accomplir le rituel qui détruira le Malin une fois pour toutes : les épées du héros forgées par l'Ancien Dieu forgeron.

– Je connais ces armes, dit Pan. Elles ont apporté bien des maux et causé bien des souffrances aux humains. Laquelle d'entre elles est cachée dans l'obscur ?

– Tom possède déjà la Lame du Destin et Tranche Os. Je suis ici pour trouver la dague qu'on nomme Douloureuse.

– Ah ! La Lame du Chagrin est de loin la plus terrible des trois ! Il vaudrait mieux pour l'humanité qu'elle ne revienne jamais dans votre monde !

– En l'utilisant, nous pouvons anéantir notre pire ennemi.

Secouant lentement la tête, Pan posa sur moi un regard chargé de pitié.

– Petite humaine insensée ! Ne vois-tu pas ce qui va se passer ? Vous détruirez peut-être le Malin, mais vous ne détruirez pas l'obscur, car il s'opposera toujours à la lumière. Mettez fin à la situation présente, et un nouvel équilibre s'établira. Si vous abattez la plus puissante entité de l'obscur, une autre surgira à sa place.

Ce n'était pas le genre de discours que je désirais entendre. Allais-je sacrifier ma vie en pure perte ? Cependant, le dieu parlait du long terme. Moi, je combattais pour le présent. L'avenir ne me concernait pas.

– Ce qui doit advenir adviendra, et je n'y peux rien. Nous avons déjà gravement touché le Malin. S'il retrouve ses pouvoirs, sa vengeance sera effroyable. Je ne crains pas seulement pour moi, pour Tom ou pour le vieux Gregory. Le monde entier en pâtira. Nous devons à tout prix accomplir le rituel. Passé Halloween, il sera trop tard.

Pan fixa longuement son regard sur moi, et mes genoux flanchèrent. J'envisageai un instant d'user de la puissance de ma magie, mais je savais que je n'avais aucune chance contre l'un des Anciens Dieux au cœur même de son territoire. Il me tuerait sur place, et j'aurais entrepris cette démarche pour rien.

Enfin, il m'adressa un bref signe de tête.

– Parle-moi de ce rituel.

– Il sera célébré sur une colline du Comté appelée la Pierre des Ward. On y bâtira une forge. Le poignard dit Tranche Os porte bien son nom. C'est lui qui tranchera les pouces de la victime, le droit, puis le gauche. Elle ne devra pas pousser un cri, quelle que soit l'intensité de sa douleur ; sinon, le sacrifice échouera. On jettera alors ses os au feu. L'autre lame, celle que je viens chercher, servira à découper le cœur de la victime, qui sera jeté lui aussi, encore palpitant, dans les flammes.

– Tu emploies les mots de «sacrifice», «pouces», «cœur de la victime» comme s'ils concernaient quelqu'un d'autre. Mais c'est toi qui devras subir ces horreurs. Le sais-tu?

J'opinai, baissant les yeux devant son regard farouche.

– Je le sais. En parler de façon détachée est pour moi le seul moyen d'en accepter l'idée.

– Te crois-tu capable, le moment venu, d'endurer un tel supplice? Quand la lame entamera ta chair, tout ton corps criera. Pour vous, faibles humains, certaines choses sont simplement impossibles à supporter.

– Je ferai de mon mieux, c'est tout ce qu'on peut exiger de moi.

Pan approuva de la tête et parut moins furieux.

Quand il reprit la parole, sa voix s'était adoucie:

– Tu es peut-être folle, jeune humaine, mais tu es brave. Je t'escorterai sur mon territoire pour te conduire vers la deuxième étape de ton voyage.

Nous marchâmes en silence entre les arbres, Pan à cinq pas devant moi. Rien ne bougeait autour de nous, et notre périple me semblait sans fin. J'avais appris, lors de mon incursion précédente, que le cours du temps était différent, ici. J'avais cru rester prisonnière du Malin de longues années, alors que seules quelques semaines s'étaient écoulées. Or, le contraire était possible, et il ne nous restait que cinq semaines avant Halloween. Même si je rapportais la dague, je reviendrais peut-être trop tard.

La forêt s'éclaircissait, à présent ; des arbustes et des broussailles remplaçaient les vieux arbres. J'apercevais devant moi une vaste plaine informe. Après la luminosité verte de la forêt, c'était un territoire sombre sur lequel tranchait seulement un sentier formé de minuscules pierres blanches.

– Je dois te laisser, maintenant, dit Pan. Tu vas traverser les abysses qui s'étendent entre chaque domaine ; la sente blanche te conduira au prochain.

– Celui du Malin ?

Pan secoua la tête.

– Qui sait ? Rien n'est stable, dans l'obscur. Ses territoires changent constamment de place. Si, une fois ta quête terminée, tu retrouves ton chemin jusqu'ici, je t'aiderai à retourner dans le monde d'où tu viens. Mais souviens-toi ! Tu as pénétré dans mon domaine sans y être invitée. Je te ferai payer le prix de ton impertinence.

J'examinai un instant le chemin. Quand je me retournai pour demander à Pan quelle serait sa sentence, il avait disparu.

Je ne bougeais pas ; derrière moi, pourtant, la forêt rétrécissait. Elle ne fut bientôt qu'un cercle semblable à la pleine lune au-dessus de notre terre avant de devenir un point pas plus gros qu'une étoile ; puis elle s'effaça. Avait-elle rapetissé ou s'était-elle simplement éloignée ? Je n'aurais su le dire.

J'étais seule, et tout autour de moi n'était que ténèbres. Je reniflai à trois reprises pour repérer un éventuel danger. N'ayant rien détecté d'inquiétant, je m'avançai sur le sentier à pas prudents. Il allait en ligne droite, s'amincissant au loin jusqu'à ne plus ressembler qu'à un long fil blanc.

Il m'était toujours aussi difficile de mesurer la succession des heures, et j'ignorais depuis combien de temps je marchais quand un hurlement lointain s'éleva sur ma gauche. Il évoquait le cri de chasse d'un loup ou de quelque dangereux prédateur.

Les nerfs à vif, l'oreille tendue, je pressai le pas. Les cailloux roulaient trop bruyamment sous mes souliers pointus. Si la bête avait déjà flairé mon odeur, le son la conduirait dans ma direction. Je décidai de continuer sur le bas-côté du chemin.

Or, au premier pas, ma chaussure s'enfonça dans le vide.

Pan m'avait appris que des abysses s'étendaient entre chaque domaine. Autrement dit, un néant sans fond.

Je battis des bras pour retrouver mon équilibre et retombai sur le sentier. Il s'en était fallu de peu ! Le cœur battant, je m'agenouillai pour scruter les profondeurs. Je ne vis qu'obscurité. J'avançai la main, je ne sentis rien. Que faire, sinon poursuivre ma route sur la piste blanche ?

Dès que mon cœur eut retrouvé son rythme normal, je repartis, mes pas crissant sur le gravier. Quelle explication donner à cet étrange phénomène ? Soit le sol avait disparu, soit le chemin était surélevé. Auquel cas, sur quoi s'appuyait-il ?

Le cri du prédateur retentit de nouveau, plus près, mais loin en contrebas. La créature ne pouvait m'atteindre, sauf si elle trouvait le moyen de grimper jusqu'à moi.

Le cri suivant, nettement plus proche, et plus *haut*, me vrilla les nerfs. La créature aurait-elle atteint le sentier ?

Je marchai plus vite, me demandant à quoi pouvait ressembler la bête qui m'avait prise en chasse. Était-ce une sorte de démon ?

Un coup d'œil par-dessus mon épaule me montra, bondissant sur quatre pattes, une espèce de petit chien. Peut-être m'apparaissait-il ainsi à cause de la distance ? Je me mis à courir. Les cailloux qui roulaient sous mes pieds me ralentissaient ; je dérapais et manquai plusieurs fois de tomber.

Je risquai un autre regard en arrière et le regrettai aussitôt. La bête était de grande taille, et elle gagnait du terrain. Un détail insolite me frappa : sa face bestiale était celle d'un loup, mais son expression sournoise, astucieuse, était presque humaine.

Un frisson me parcourut le dos : je savais qui me pourchassait.

C'était le kretch, fils d'une louve et d'un démon, l'être créé par les sorcières pour tuer Grimalkin et lui reprendre la tête du Malin. Son père, Tanaki, lui avait légué un grand pouvoir de régénération. Sa puissance augmentant à chaque combat, chacun de ses affrontements avec la sorcière tueuse avait renouvelé ses forces. Une de ses armes était un poison violent qui avait affaibli Grimalkin ; elle n'avait réussi à le tuer qu'avec le soutien de ma magie.

Maintenant, il avait retrouvé une nouvelle existence dans l'obscur. Il était le chasseur et j'étais le gibier.

J'avais espéré me glisser dans le monde d'en bas sans être découverte par personne d'autre que Pan. Quelle idiote j'étais ! Des tas de créatures veillaient en ces lieux ; celle-ci m'avait repérée.

Mes ressources en magie noire n'étant pas inépuisables, je préférais les économiser. D'autant que chaque utilisation me rapprochait dangereusement de l'état de *pernicieuse* – une sorcière au cœur de pierre –, ce que je craignais plus que tout. Néanmoins, je n'avais guère le choix. Ne puisant en moi qu'un minimum d'énergie, j'exerçai ma volonté. Le brouillard épais qui se mit à ramper sur le sentier me dissimula au kretch. J'y ajoutai un sortilège d'égarement.

J'ignorais quelle serait son efficacité sur une telle créature. Mais j'entendis presque aussitôt monter un nouveau hurlement – non plus le cruel et triomphant cri de chasse, plutôt une plainte déconcertée.

Sans savoir combien de temps durerait sa confusion, je repris ma course, laissant le brouillard et le kretch loin derrière moi.

J'eus rapidement un autre sujet d'inquiétude : j'apercevais à présent devant moi la fin du sentier. La ligne de cailloux blancs s'arrêtait net ; au-delà, ce n'était qu'obscurité.

Étais-je piégée dans un espace entre les territoires ? Le chemin que j'avais suivi aboutissait-il au néant ?

Je distinguai alors une sombre falaise rocheuse. Le sentier blanc ne s'arrêtait pas là ; il s'enfonçait dans l'ouverture étroite d'une grotte. Une lueur jaune y brillait, apparemment la flamme tremblante d'une chandelle. Éclairait-elle l'entrée d'un nouveau domaine ? Et qui l'avait allumée ?

Je m'avançai prudemment jusqu'au seuil.

Deux yeux d'un bleu de saphir captèrent mon regard. Une fille, qui devait avoir à peu près mon âge, était assise en tailleur sur le sol. Les cheveux noirs coupés très court, elle avait sur la joue gauche un tatouage représentant un ours. Elle tendit les mains vers moi. Des mains mutilées. À la place de ses pouces ne restaient que deux moignons sanglants.

– Tu dois être Alice, dit-elle. Je m'appelle Thorne.

2

Le kretch

Thorne était cette fille que Grimalkin avait formée pour qu'elle devienne à son tour une sorcière tueuse.

Nous ne nous étions jamais rencontrées ; presque personne n'était au courant de son existence, mais je savais tout d'elle, et en particulier les circonstances de sa mort. Elle avait été massacrée par les servantes du Malin à la lisière de la Combe aux Sorcières. Elles lui avaient tranché les pouces alors qu'elle était encore vivante ; le choc et l'hémorragie l'avaient tuée.

Le regard grave qu'elle posait sur moi était bienveillant, même si son corps souple bardé de lanières de cuir auxquelles pendaient des armes était celui d'une guerrière.

– Tu es suivie, tu en es consciente ? me demanda-t-elle.

– Oui. Je pense qu'il s'agit du kretch. Je l'ai tenu à distance par magie, mais ça ne l'éloignera pas longtemps.

Il ne pouvait plus être tué, à présent. Rien ne l'arrêterait.

Comme si la créature savait que nous parlions d'elle, un hurlement monta des ténèbres, tout proche.

Thorne sauta sur ses pieds.

– Vite ! Prends la chandelle et suis-moi !

J'obéis et courus derrière elle. Je vis alors qu'un tunnel s'ouvrait au fond de la grotte. Nous y entrâmes. Le plafond de la galerie était parfois si bas que nous devions progresser à quatre pattes. Dans un sens, cela me rassurait : le kretch ne pénétrerait jamais dans ce boyau étroit. De temps à autre, nous traversions brièvement des cavernes si vastes que la lumière de la chandelle ne parvenait pas jusqu'en haut. Je devinais des corniches au-dessus de nous, et des yeux malveillants qui nous suivaient du regard.

– À qui appartient ce domaine ? demandai-je, troublée d'entendre les échos de ma voix se répercuter dans un espace immense.

Thorne se retourna et, un doigt sur ses lèvres, m'imposa le silence. Le sang continuait de goutter de ses mains mutilées.

À voix très basse, elle expliqua :

— Nous sommes encore dans l'intervalle entre les domaines, mais le sentier blanc mène parfois à des tunnels à peu près sûrs, trop resserrés pour laisser entrer quoi que ce soit de gros et de dangereux.

— Et le kretch ? Grimalkin m'a dit qu'il avait la taille d'un petit cheval. Il serait capable de nous rattraper ?

— Oui, s'il le veut. Ici, les lois régissant la matière et la distance sont aléatoires. Et il y a pire : son père est Tanaki, l'un des démons cachés qui hantent les abysses. Lui aussi pourrait nous poursuivre. Par chance, il est vraiment trop gros pour s'introduire dans ce réseau de galeries.

Je l'interrogeai alors :

— Tu m'attendais ?

Thorne opina.

— Tu as en ces lieux autant d'amis que d'ennemis. Je t'aiderai de mon mieux. Mais pourquoi es-tu venue ? Les vivants ne devraient pas pénétrer dans l'obscur.

J'eus un instant d'hésitation. Pouvais-je lui faire confiance ? Puis je me rappelai tout le bien que Grimalkin disait d'elle. Je n'avais jamais entendu

la tueuse parler de quelqu'un avec autant de chaleur. De plus, j'étais venue seule dans l'obscur, sans
escompter aucun soutien. Une alliée aussi brave augmenterait mes chances de réussite.

— Il faut que je découvre le domaine du Malin, lui
révélai-je. Il y a sous son trône une dague qui doit
être utilisée lors d'un rituel particulier destiné à le
détruire. Mais toi, Thorne ? Comment savais-tu que
tu me trouverais là ?

— Nous discuterons de ça plus tard, et je t'ins-
truirai sur l'obscur, car tu as beaucoup à apprendre.
Tâchons d'abord d'atteindre le prochain domaine.
Avec un peu de chance, ce sera celui du Malin.
Tu n'auras plus qu'à prendre ce que tu es venue cher-
cher et t'en aller.

J'aurais aimé une réponse à ma question. Cependant, si j'avais déjà passé quelque temps dans
l'obscur, c'était en tant que prisonnière ; Thorne,
elle, y survivait. Mieux valait profiter de son savoir
et me laisser conduire.

Nous sortîmes bientôt du réseau de tunnels, et
le sentier blanc s'étendit de nouveau au-dessus des
abysses, parfaitement semblable à celui que j'avais
suivi plus tôt. À mon avis, nous avions tourné en
rond pour revenir à mon point de départ.

Thorne marchait devant. Je soufflai donc la chandelle et la fourrai dans la poche de ma jupe.

– Quand arrivera-t-on au prochain domaine ? m'enquis-je.

Elle haussa les épaules.

– C'est impossible à prévoir. Tout change continuellement, ici. Je ne séjourne pas dans l'obscur depuis longtemps. Certaines créatures y circulent plus aisément que d'autres, en particulier les démons. Ils savent se rendre d'un point à un autre en un clin d'œil.

Ces lieux étaient aussi effrayants que dangereux. Si Thorne m'avait trouvée, un serviteur du Malin le pourrait aussi. Néanmoins, ruminer ce genre de pensée ne servait à rien. Je devrais affronter les menaces à mesure qu'elles surgiraient.

Tandis que nous progressions dans le néant, il me semblait que rien d'autre n'existait que nous deux et le sentier blanc, et le crissement rythmique de nos pieds sur les cailloux.

Faute de pouvoir mesurer le passage du temps, j'entrepris de compter mes pas. J'en étais presque à mille quand le hurlement du kretch s'éleva derrière nous. Il avait réussi à franchir l'étroit tunnel !

Thorne accéléra l'allure. Au deuxième cri, elle se mit courir. Je m'élançai sur ses talons.

Les hurlements se succédaient, de plus en plus sonores. La créature nous rattrapait.

Soudain, Thorne s'arrêta, fit volte-face et sonda le vide des yeux. Je suivis son regard. La bête, à peine visible, bondissait vers nous. Chaque saut la rapprochait, et – bien trop tôt – je pus la voir en détail.

Elle ressemblait à un énorme loup. Toutefois, si elle courait sur quatre pattes, ses membres antérieurs étaient des bras musculeux, capable de briser les os d'un adversaire. Des reflets gris argentaient son épaisse toison noire le long de son dos. Son corps velu était pourvu de sortes de poches d'où sortaient les manches d'armes diverses, et je savais que ses griffes acérées inoculaient un poison redoutable. Une seule estafilade avait presque tué Grimalkin; elle en avait gardé des accès de faiblesse récurrents qui la rendaient vulnérable, et je ne voulais surtout pas qu'il m'arrive la même chose.

Je me préparai à utiliser ma magie quand Thorne eut une autre idée.

– Reste derrière moi, Alice! m'ordonna-t-elle.

Et elle fit face au kretch.

À ma stupéfaction, elle ôta ses souliers pointus et, en équilibre sur une jambe, approcha son pied gauche d'une des lanières de cuir entrecroisées sur son corps. Saisissant le manche d'un poignard avec les orteils, elle le sortit du fourreau.

Le kretch bondissait vers elle, à présent, les yeux brûlants de haine, les crocs prêts à la déchiqueter.

Thorne projeta violemment son pied ; la lame fila. Elle ricocha sur le front de la bête, manquant son œil d'un poil. Thorne changea de jambe, utilisant cette fois les orteils de son pied droit. J'admirai son calme.

Le kretch était presque sur elle quand la deuxième lame jaillit et s'enfonça jusqu'à la garde dans son œil gauche. Rugissant de douleur, il se dressa sur ses pattes arrière, essaya d'extirper le poignard de son orbite. C'est alors que Thorne lui décocha une troisième lame, qui lui creva l'autre œil.

Le sang dégoulinait sur la face de la créature, trempait sa fourrure. Aveugle, elle lançait des coups de patte furieux vers son adversaire, qui s'était déjà reculée. Avec un long hurlement, le kretch perdit l'équilibre et plongea dans les abysses. Son cri diminua peu à peu jusqu'à s'éteindre tout à fait.

Avant que j'aie pu dire quoi que ce soit, Thorne avait déjà repris sa course.

– Vite ! Voilà qui va sans doute jeter son père, le démon Tanaki, à nos trousses !

Nous courûmes à toutes jambes le long du sentier, Thorne tenant ses chaussures dans une de ses mains mutilées. La façon dont elle s'était débarrassée du kretch m'avait impressionnée. Il nous fallait cependant atteindre le prochain tunnel, car, si Tanaki surgissait, nous serions en grand danger. Une nouvelle falaise se dressa devant nous, et le sentier disparut une fois de plus dans la bouche d'une grotte. Nous en étions encore loin, et le son qui s'éleva me fit allonger mes foulées. Ce fut d'abord un grondement sourd. Puis il gagna en intensité, au point que les petites pierres blanches du sentier se mirent à trembloter et sautiller.

– C'est Tanaki ! haleta Thorne. Il est gros, très gros ! Ses cris seront bientôt insupportables !

Je sentais déjà mes dents vibrer dans mes gencives. Un éclair d'un blanc bleuté illumina soudain l'obscurité. Le fracas du tonnerre suivit aussitôt.

– Cours ! Cours ! hurla Thorne en accélérant. Cet éclair, ça signifie qu'il est presque sur nous !

Si Tanaki était encore invisible, son approche était perceptible. Je fonçai, sûre qu'il allait apparaître d'une seconde à l'autre.

Par chance, nous atteignîmes à temps le refuge de la grotte.

Thorne se laissa tomber sur les genoux, haletante.

– On est en sécurité – provisoirement, car ce démon ne renonce jamais. Chaque fois que nous suivrons le chemin entre les domaines, il nous pourchassera.

3

Quel genre de créature?

Thorne paraissait épuisée. Le sang coulait toujours des moignons de ses pouces. Elle tenta de se relever ; ses jambes se dérobèrent et elle se rassit.

– Désolée, j'ai besoin d'un peu de repos. Cette course m'a vidée.

– Pas de problème. Reprends tes forces ! Lancer les poignards avec tes pieds, c'était habile !

– J'ai dû m'entraîner longtemps pour y parvenir. Avec mes mains, je suis beaucoup plus maladroite ; les pouces me manquent. Et c'est douloureux, ce qui nuit à ma concentration. Mais j'ai été l'élève de Grimalkin ; elle m'a appris à improviser et à ne jamais renoncer, même si je n'espère plus l'égaler un jour.

– Tu as de la chance d'avoir reçu l'enseignement de la sorcière tueuse. Moi, j'ai tiré la mauvaise paille ; c'est Lizzie l'Osseuse qui m'a instruite, et j'ai enduré deux cruelles années de misère.

– Tu n'étais pas obligée de rester avec elle.

Je n'aimais guère évoquer l'époque passée auprès de l'Osseuse. Mais les mots de Thorne m'avaient blessée.

– Facile à dire ! protestai-je aigrement. Tu crois que j'avais le choix ? Lizzie n'est pas de celles à qui on peut dire non. Elle avait décidé de prendre mon éducation en main et c'est ce qu'elle a fait, point final.

– Tu n'as jamais songé à t'enfuir ?

– J'ai essayé à plusieurs reprises. Chaque fois, elle m'a rattrapée. Chacune de mes tentatives m'a coûté des jours et des nuits de souffrance, de faim et de terreur. Elle utilisait Spig, son compagnon familier, contre moi.

Spig était un « mangeur de cerveau » : une grosse tête sur un corps minuscule, quatre pattes à triples articulations terminées par des griffes acérées, et une cinquième semblable à un long os plat dont un côté était dentelé comme une scie. Cette créature de l'obscur s'introduit dans votre crâne par les narines ou les oreilles.

– Aussi, poursuivis-je, le plus souvent, j'obéissais. Si Lizzie disait : « Étudie ! », j'étudiais. Elle me terrifiait avec sa magie, et je n'ai pas oublié les blessures de son grand couteau. Mon corps est couvert de cicatrices. Elle me prenait régulièrement du sang pour renforcer ses sortilèges.

Je vis alors que Thorne tremblait, les yeux fermés, les paumes plaquées contre ses oreilles.

– Qu'est-ce qui ne va pas ? m'exclamai-je.

Abaissant les mains, elle se tourna vers moi.

– C'est quand tu as parlé de ce grand couteau. Ça m'a rappelé la façon dont j'ai été tuée. Le kretch m'a saisie entre ses mâchoires et m'a traînée devant un mage appelé Bowker. Puis les sorcières se sont jetées sur moi. J'ai eu beau me battre furieusement, elles étaient trop nombreuses. Quand Bowker m'a tranché les pouces, la douleur a été atroce. Le pire était de voir s'achever ainsi mon temps sur cette terre. J'aurais tant aimé marcher sur les traces de Grimalkin ! J'aurais voulu être la meilleure, la plus grande tueuse que le clan Malkin ait connue ! Et tout cela m'était retiré.

– Je suis désolée. Je ne voulais pas te rappeler de mauvais souvenirs.

– Ce n'est pas ta faute. Ces images terribles me reviennent sans cesse. Il en sera ainsi pour l'éternité.

Un bruit soudain, venu du fond du tunnel, nous fit sursauter. Tanaki envoyait-il à nos trousses une créature plus petite ?

– Dépêchons-nous, souffla Thorne. Plus tôt nous atteindrons l'autre domaine, mieux ce sera.

Je m'attendais à retrouver le sentier. Or, le tunnel menait directement à un tout autre territoire.

La lumière déversée par le ciel pourpre révélait dans quel terrible endroit nous étions arrivées. Pas un arbre, pas un brin d'herbe, rien qu'une étendue aride parsemée de pierres et de rochers, fendue de longues fissures d'où s'échappait de la vapeur. L'air qui empestait le soufre était chaud, moins cependant que le sol sous nos pieds. M'étant penchée pour le toucher, je retirai vivement les doigts.

Thorne désigna des montagnes, juste devant nous :

– Allons là-bas ! D'en haut, il sera plus facile de se repérer.

– Cet endroit est particulièrement inhospitalier, fis-je remarquer. Quel genre de dieu a bien pu choisir une pareille demeure ?

– Bonne question, Alice ! Tu m'as dit que le domaine de Pan lui correspondait, vert et luxuriant comme il convient à une divinité de la nature...

Je compris où elle voulait en venir.

– Donc, le maître de ce désert étouffant doit être une créature de feu...

– C'est ce qu'il me semble, acquiesça Thorne. En tout cas, mieux vaut éviter de le rencontrer. Quel que soit le propriétaire, il ne tardera pas à détecter notre présence. Quittons les lieux aussi vite que possible ! Depuis les pentes de ces montagnes, on devrait découvrir un passage.

Elle avait raison ; et nous nous mîmes en route, tâchant de garder un rythme rapide, ce qui n'était guère facile. Il fallait contourner d'énormes rochers, esquiver des jets de vapeur brûlants. Par moments, la terre grondait et remuait, moins violemment toutefois que lorsque Tanaki nous poursuivait.

Je me demandais de nouveau quelle sorte de dieu pouvait habiter ces lieux quand Thorne reprit, comme si elle avait lu dans mes pensées :

– Tu sais quoi ? Je crois que l'existence de ce domaine est récente. Grimalkin m'a beaucoup parlé de ses voyages. Elle me disait avoir visité une île parsemée de volcans. Le sol était chaud sous les pieds et crachait de la vapeur, comme ici. Le pêcheur qu'elle avait obligé à l'emmener lui avait raconté que, trois ans plus tôt, il n'y avait là que la mer ; une île était née du feu jaillissant des vagues. C'est probablement un phénomène similaire.

– Le domaine d'un nouveau dieu ? Ça me paraît logique. La plupart sont anciens, mais ils ont forcément eu un commencement.

– Grimalkin a ses idées là-dessus. Au cours de ses pérégrinations, elle a appris des choses que les sorcières de Pendle, qui n'ont jamais bougé de leur coin, n'imaginent même pas en rêve. Elle pense qu'un démon augmente parfois ses pouvoirs au point de devenir un dieu; et que l'inverse arrive aussi.

J'opinai, sachant combien les connaissances de Grimalkin étaient étendues.

– C'est ce que le vieux Gregory disait d'un démon appelé le Fléau. Il était emprisonné derrière une grille d'argent, dans un labyrinthe, sous la cathédrale de Priestown. Il avait été un dieu, mais il avait perdu peu à peu ses pouvoirs parce qu'on ne lui rendait plus aucun culte.

– C'est une explication possible, approuva Thorne. Un dieu est peut-être apparu ici parce que des milliers de gens le célèbrent quelque part sur la terre.

L'idée que de nouvelles divinités puissent surgir dans l'obscur me fit frissonner. Il y en avait déjà bien assez!

– Souhaitons ne jamais le rencontrer! dis-je. Et tâchons de trouver le domaine du Malin! Il faut que je rapporte cette dague.

Nous poursuivîmes notre pénible progression. Je mourais de soif – alors que je ne ressentais aucune faim. C'était peut-être un effet de l'obscur. J'étais là dans mon corps humain; j'aurais dû éprouver les mêmes sensations que sur terre. Je me demandai ce qu'il en était pour les morts. Thorne avait-elle besoin de manger ?

Je tâchai de me rappeler l'époque où j'étais prisonnière du Malin, des mois plus tôt. Rien ne me revint à l'esprit. Dès mon arrivée, il m'avait remise aux mains de ses serviteurs. Ils m'avaient d'abord enfermée dans une cage, et me tendaient de temps en temps une éponge mouillée entre les barreaux. J'en aspirais désespérément la plus petite goutte d'humidité. Parfois, l'éponge avait été trempée dans le vinaigre ; j'en sentais encore la brûlure acide sur mes lèvres parcheminées. Un jour, on m'en avait même versé sur mes blessures. Ce souvenir augmentait ma détermination. Je jouerais mon rôle dans la destruction du Malin, quel que soit le prix à payer.

Il m'était toujours impossible de mesurer le passage du temps. Lors de la traversée des abysses, il semblait s'écouler très lentement ; ici, il filait. Nous approchions des montagnes bien plus vite que nous l'aurions fait sur terre. Je distinguais déjà leurs sommets blancs.

Je les désignai du doigt :

— De la neige et de la glace !

Thorne examina les pics déchiquetés.

— Oui. Sur terre, plus on monte, plus il fait froid. Apparemment, c'est la règle ici aussi.

– De la neige, ça signifie de l'eau ! m'exclamai-je. Je n'ai jamais eu aussi soif, pas toi ? J'ai la langue plus sèche qu'un morceau de carton. S'il y a de la glace tout en haut, elle doit fondre quelque part. On va trouver des ruisseaux sur les pentes !

Thorne approuva sans dire si elle avait soif ou non, et nous nous élançâmes. Nous commençâmes l'escalade en continuant d'éviter les crevasses susceptibles de cracher à tout instant des jets brûlants.

Plus nous progressions, plus les montagnes m'apparaissaient formidables et inaccessibles. Bientôt, la pente serait trop raide.

Thorne tendit alors la main :

– Là-bas ! Une vallée ! Allons-y !

C'était un simple ravin, d'à peine plus de cent pieds de large. Deux falaises à pic l'enserraient de chaque côté. Il y faisait très sombre, et le ciel n'était plus qu'un étroit zigzag au-dessus de nos têtes.

Nous arrivâmes sur un plateau, et j'aperçus ce que je désirais tant ! Nous avions atteint une sorte de cirque rocheux, au centre duquel miroitait un lac... Or, mon allégresse se changea en déception. À bien le regarder il n'était pas question de m'en approcher, encore moins d'y étancher ma soif. La surface frémissait et clapotait, une vapeur s'en élevait pour former un nuage au-dessus de nos têtes. L'eau était bouillante.

– Impossible de boire ça ! me lamentai-je, soudain consciente de la chaleur du sol à travers la semelle de mes souliers pointus.

– L'eau de ce lac stagne, me fit remarquer Thorne. Les ruisseaux qui coulent le long des pentes sont probablement plus frais.

Nous suivîmes donc la courbe de la paroi rocheuse bordant le plateau. Nous rencontrâmes bientôt un ruisselet qui courait vers le lac, mais il serpentait entre les pierres en fumant.

– Continuons ! dis-je. On trouvera peut-être mieux plus loin.

Sautant par-dessus le ruisseau, nous poursuivîmes dans la même direction. Et la chance nous sourit enfin. De l'eau tombait le long du rocher vertical et rebondissait en grosse averse cinq ou six pieds plus bas.

– Elle ne fume pas ! m'écriai-je. Elle n'a pas l'air chaude. Elle vient sans doute de très haut.

Je m'approchai de la chute, tendis prudemment les doigts. C'était juste tiède. L'instant d'après, Thorne et moi dansions sur place, trempées jusqu'aux os, riant et criant de plaisir. Je renversai la tête, ouvris la bouche, baignai mes lèvres craquelées et ma langue desséchée. Puis, les mains en coupe, je bus jusqu'à plus soif.

Je remarquai alors un fait étrange. Bien que Thorne parût heureuse de laisser l'eau lui laver le visage, les bras et les cheveux, elle ne buvait pas.

Les morts n'avaient-ils aucun besoin d'eau ni de nourriture ?

J'oubliai vite cette interrogation, car je venais d'entendre une série de bruits évoquant des branches sèches qui craquent sous les pieds. Ils semblaient venir d'un rocher, à cinq ou six pas de la chute d'eau.

Quelque chose bougeait dans une fente de la roche. Un rat ?

Ma curiosité se teinta d'inquiétude. Je me préparai à faire usage de la magie si nécessaire. Puis quelque chose brilla dans l'ombre. Un sifflement s'éleva, agressif, et un regard mauvais croisa le mien. Je reculai. Ces yeux étaient trop gros pour appartenir à un rat. Quel genre de créature pouvait bien se cacher dans une crevasse aussi étroite ?

4

Les skelts

Je vis alors sortir de la faille une espèce de brindille, qui parut tâter l'air en exécutant une curieuse rotation. Très longue, grise, munie de multiples articulations, elle évoquait la patte d'un insecte géant. Elle s'abaissa pour toucher le sol, et une deuxième suivit, avec les mêmes mouvements. Puis la tête de la créature apparut, et je sus aussitôt de quoi il s'agissait. Je ne reconnaissais que trop bien ce crâne étroit et ce long museau plat.

J'alertai ma compagne, encore sous la cascade.

– Thorne ! Un skelt !

Je ne quittai pas la bête des yeux, le temps qu'elle s'extraie entièrement de sa cachette. Son corps tubulaire formé de deux segments articulés paraissait aussi dur qu'une armure. On aurait dit un croisement entre une langouste et une mante religieuse, doté de huit pattes comme une araignée. La créature me fixa, et je sentis son pouvoir de fascination.

Les skelts sont extrêmement dangereux. Leur long museau est une sorte de tube en os qu'ils plongent dans la gorge ou la poitrine de leur proie pour aspirer son sang. Les sorcières d'eau se servent d'eux lors de leurs rituels. L'une de ces créatures avait attaqué Tom Ward au moulin de Bill Arkwright, au nord de Caster.

J'étais face à un tueur vicieux, beaucoup plus grand et plus fort que moi, et particulièrement véloce.

Pour le repousser je ne devais employer la magie qu'en ultime recours, car j'aurais besoin de toutes mes réserves pour accomplir ma tâche et ressortir de l'obscur.

Le skelt approchait lentement, posant délicatement ses pattes articulées sur la roche chaude. Il s'efforçait de contrôler mon esprit et de me paralyser comme une hermine devant un lapin. J'avais beau résister, mes forces diminuaient. Du coin de l'œil, je vis Thorne courir vers moi, un poignard dans chaque main, le visage crispé de douleur.

La créature perçut son approche et lui fit face. Je fus aussitôt libérée de la fascination. Saisissant ma chance, je ramassai un caillou – un gros, que je ne pus soulever qu'à deux mains. Et je fis ce que Bill Arkwright avait fait pour sauver Tom Ward. À l'instant où le skelt dressait ses deux pattes de devant pour repousser l'attaque de Thorne, j'abattis de toutes mes forces la pierre sur l'arrière de sa tête. Il y eut un craquement sec suivi d'un horrible bruit mou, et le crâne du skelt s'ouvrit en deux. La bête s'effondra, les pattes agitées de spasmes.

À mon grand étonnement, Thorne ne fit aucun commentaire. Elle replaça ses armes dans leur fourreau, s'agenouilla près du skelt agonisant et se mit à laper le sang chaud qui coulait de son crâne.

Je reculai avec dégoût.

Thorne leva les yeux vers moi. Le sang lui maculait ses lèvres, coulait au coin de sa bouche et gouttait sur son menton.

– Ne me regarde pas comme ça ! rugit-elle. Je fais ce qu'il faut pour conserver mes forces. C'est la règle, dans l'obscur. Sinon, comment les morts survivraient-ils ?

Puis, sans plus s'occuper de moi, elle continua de boire à longues goulées avides.

Écœurée, je lui tournai le dos et marchai vers le lac bouillonnant pour retrouver mon calme. Les sorcières de Pendle qui utilisaient la magie du sang n'en consommaient que de petites quantités. Le reste du temps, elles se nourrissaient comme tout un chacun de viande et de pain. Lizzie, il est vrai, avait une pré-dilection pour la chair de rat. Mais les seules qui se gorgeaient de sang étaient les mortes de la Combe aux Sorcières.

Je découvrais qu'il en était de même de celles qui habitaient l'obscur. De quel droit aurais-je jugé ou blâmé Thorne ? Elle assurait simplement sa subsistance.

Alors que j'étais encore à bonne distance du lac, j'en sentais déjà le rayonnement sur mon visage. Une telle touffeur ne pouvait provenir des seules rivières chaudes qui s'y déversaient. Sans doute y avait-il juste en dessous une activité volcanique. Et s'il se produisait une éruption de feu et d'eau bouillante ?

Je m'arrêtai, prise d'effroi devant ces eaux fumantes. Je reniflai à trois reprises, à la recherche d'une menace. Certaines sorcières sont plus douées que d'autres pour le « long flair ». Chez moi, c'était un talent naturel, l'une de mes rares qualités qui impressionnaient Lizzie l'Osseuse quand elle avait entrepris de me former. Or, cette fois, j'avais du mal à rassembler les informations. Je recommençai – trois autres brefs reniflements.

Sans réussir à déterminer en quoi consistait le danger, je le devinais prêt à se manifester.

C'est alors qu'une petite créature sortit de l'eau et rampa vers moi. Quel être pouvait vivre dans un liquide aussi brûlant ?

D'autres émergèrent, et d'autres encore. Elles furent bientôt une dizaine, qui se rapprochaient. En réalité, elles n'étaient pas si petites que ça ! Le lac était plus loin que je ne le pensais. Et plus les créatures avançaient, plus elles grossissaient.

Et je compris. Les voir sortir d'une eau bouillante avait faussé mon jugement.

C'étaient bel et bien des skelts !

Pivotant sur mes talons, je galopai vers Thorne et hurlai à pleins poumons :

– Des skelts ! D'autres skelts !

Elle se retourna, puis se releva lentement sans bouger de sa place. Grimalkin ne s'était pas trompée sur son compte : Thorne était brave ; elle attendrait que je la rejoigne avant de courir à son tour. Et elle était loyale ; elle ne fuirait pas tant que je serais en danger.

Dès que je fus près d'elle, elle désigna l'entrée du ravin d'où nous étions venues, et nous nous élançâmes à toutes jambes. Bientôt je haletai, la gorge en feu ; Thorne, elle, pleine d'énergie, respirait à un rythme régulier. Était-ce un effet du sang dont elle s'était abreuvée ?

De temps à autre, je jetais un coup d'œil derrière moi. Si les skelts nous suivaient toujours, ils ne nous rattrapaient pas. J'avais besoin de reprendre mon souffle. Je m'arrêtai donc au bord de l'étroit ravin et tirai Thorne à mes côtés.

Les skelts semblaient avoir abandonné la poursuite. Ils retournaient lentement vers le lac fumant. Craignaient-ils de s'aventurer trop loin de leur demeure liquide ?

Nous reprîmes notre route à une allure moins rapide, et j'exprimai ma stupéfaction :

– Ils sont sortis de l'eau bouillante ! Sur terre, des skelts ne supporteraient pas de telles conditions.

– Ceux-là sont morts, et les lois de l'obscur sont différentes, me rappela Thorne. À présent qu'ils sont partis, il faut reprendre notre ascension, trouver l'emplacement du portail.

Je ne voyais pas de quoi elle parlait.

– De quel portail parles-tu ?

– De celui qui nous permettra de sortir d'ici. Un passage est si chargé de magie qu'il émet généralement un halo de lumière rougeâtre. Comme il fait assez sombre ici, on ne devrait pas avoir trop de mal à le localiser. Mais on le verra sans doute mieux d'en haut.

Nous l'aperçûmes, en effet, après avoir escaladé un sentier de roche volcanique venteux et fumant. Ce fut Thorne qui le repéra, et elle dut me le désigner pour que je le distingue à mon tour : une mince lueur verticale.

Après avoir soigneusement noté sa position, nous descendîmes la pente en hâte. Nous craignions toutes les deux que le propriétaire des lieux ne détecte notre présence avant que nous ayons quitté son territoire.

– Renifle ! m'ordonna Thorne. Et dis-moi ce que ça sent !

Je reniflai à trois reprises, et trouvai aussitôt la direction de la lueur, alors invisible de l'endroit où nous étions : ça puait !

– Ça sent l'œuf pourri ! m'exclamai-je en fronçant le nez.

– Exact, Alice ! Souviens-toi de cette odeur ! C'est un autre moyen de localiser un portail. Parfois, la lueur reste invisible.

Quand nous fûmes à proximité, Thorne me poussa vers la gauche, et nous approchâmes par le côté. Ce qui avait semblé une ligne de lumière verticale et rougeâtre se changea d'abord en croissant avant de devenir ovale. Mais la véritable forme du portail ne se révéla qu'au dernier moment : trois cercles concentriques flottaient dans les airs à la hauteur de ma taille. On apercevait au travers un autre paysage, très différent de la terre volcanique où nous étions.

J'avançai, nerveuse. Cet accès ne m'inspirait aucune confiance.

– Si tu ne veux pas perdre un membre, tu devras plonger au travers sans toucher les bords, m'avertit Thorne. Ils sont plus tranchants qu'une des lames de Grimalkin ! Passe la première, je te suis. Dès que tu auras traversé, laisse-toi rouler sur le sol !

Je me préparai donc à un plongeon vers... je ne savais quoi.

5

Un mort démoralisé

J'atterris en roulade, comme Thorne me l'avait conseillé, et touchai un sol moelleux. Elle arriva derrière moi, sauta aussitôt sur ses pieds, les doigts serrés sur ses armes, prête à toute éventualité.

Il faisait nuit, mais l'air était plus doux qu'au Comté par un beau soir d'été et tout aussi humide, comme si la pluie menaçait. Après l'aridité du domaine précédent, c'était un vrai soulagement. Pas une étoile ne brillait dans le ciel noir, pourtant dépourvu de nuages.

Une pente herbeuse s'élevait devant nous, et nous commençâmes l'ascension sans échanger un mot. Arrivée au sommet, je découvris la pleine lune, bas sur l'horizon.

Une lune rouge sang.

J'en avais vu une semblable la nuit où les sorcières de Pendle avaient convoqué le Malin dans notre monde, la nuit où le clan Malkin avait envoyé sa tueuse aux trousses de Tom Ward.

Des mouettes criaient au-dessus de nos têtes, et j'entendais un son sourd, régulier : le flux et le reflux des vagues sur une plage de galets.

En contrebas s'étendait une ville côtière. Ses ruelles s'entrecroisaient en suivant la large courbure de la baie. Des bateaux de pêche dansaient à l'ancre ou gisaient sur le flanc, là où une eau rouge venait lécher avidement les cailloux.

– C'est le domaine du Malin, n'est-ce pas ? demandai-je en observant l'affreuse lune rouge, soulagée d'y être parvenue aussi vite.

À ma grande déception, Thorne secoua la tête, la mine tendue. Je crus apercevoir de la peur dans ses yeux.

– Je n'y suis jamais entrée, j'ignore donc à quoi il ressemble. Mais je sais où nous sommes : dans l'un des territoires les plus dangereux, où se rassemblent la plupart des êtres qui ont appartenu à l'obscur. On y trouve quantité de sorcières mortes et de semi-hommes, sans oublier les démons et autres entités. C'est ici que je suis arrivée après ma mort. Je m'en suis échappée aussi vite que j'ai pu.

– J'ai cru que nous étions chez le Malin à cause de cette lune rouge, la même qui brillait la nuit où il est venu sur terre.

– Celle-ci est fixe, elle ne bouge jamais. Cet endroit est terrible, il y règne une nuit perpétuelle.

– En ce cas, inutile de descendre ! Le mieux est de retourner sur nos pas, non ?

De nouveau, ma compagne secoua la tête.

– J'aimerais que ce soit aussi simple, Alice ! Je *sais* où nous trouverons la sortie. Il n'y en a qu'une, dans ce domaine. Et elle est là-bas, dans cette cité hideuse. Si nous voulons partir d'ici, il faut nous engager dans ces ruelles...

Sale affaire ! Dans une ville pareille, le danger nous guetterait à chaque coin de rue. Et, si Thorne – que Grimalkin considérait comme l'une des personnes les plus hardies qu'elle ait connues – ne cachait pas sa peur, j'avais toutes les raisons d'avoir peur aussi.

– J'ai certainement de nombreux ennemis, ici, dis-je. Tu crois qu'ils détecteront ma présence ? J'ai fait de mon mieux pour me dissimuler.

– Le plus puissant des sorts de dissimulation n'y pourra rien : tu es vivante. Il est très rare de voir un vivant en ces lieux. Cela produit d'étranges vibrations dans l'obscur, et certains morts auront vite fait de te flairer.

– Je ne voudrais pas rencontrer Lizzie l'Osseuse, avouai-je.

Elle était, de tous mes ennemis, celle qui me venait à l'esprit en premier. Elle aurait bien des choses à me faire payer. Je me rappelai comment j'avais aidé Tom Ward à s'échapper de la fosse où Lizzie l'avait enfermé. Ce qui avait permis au vieux Gregory de la capturer et de la jeter à son tour dans une fosse de son jardin. Mais elle n'était pas la seule à craindre.

– Et il y a tous ceux que j'ai détruits ou contribué à détruire ! Eux aussi m'attendront au tournant...

Thorne se mordillait la lèvre en évitant mon regard.

– Qu'est-ce qui ne va pas ? demandai-je.

Elle pivota pour me faire face, et je crus un instant voir briller des larmes dans ses yeux. Des larmes de sang. Sans doute un jeu de lumière, dû à cette lune étrange.

– Beaucoup m'attendront aussi, répondit-elle. J'ai assisté Grimalkin pendant plusieurs années, et j'ai pris bien des vies avec mes propres armes. Raison de plus pour faire vite ! Gagnons le portail sans tarder !

C'était juste. Plus nous attendions, plus notre présence risquait d'être détectée. Nous descendîmes donc vers la ville.

Tout en marchant, je décidai d'aborder un sujet délicat. Il y avait des choses que je devais savoir.

– Donc, les morts ont besoin de sang. Que se passe-t-il si tu résistes à cette impulsion et que tu ne boives pas ?

– Il est impossible d'y résister !

À sa réaction enflammée, je compris que Thorne avait tenté de lutter.

– La soif de sang monte, monte, continua-t-elle, jusqu'à ce que tu sois obligée d'y céder.

– Et moi ? La règle est-elle différente pour quelqu'un qui entre vivant dans l'obscur ?

Je n'avais ressenti aucune attirance devant le sang du skelt, rien que du dégoût.

– À vrai dire, précisai-je, je n'ai pas envie de manger. J'ai seulement soif de temps en temps.

– J'ai une mauvaise nouvelle pour toi, Alice. Il ne t'est permis que de boire de l'eau. Si tu bois du sang ou mange quoi que ce soit ici, tu ne retourneras jamais dans le monde des vivants. C'est une des règles de l'obscur à laquelle tu dois te soumettre. Ça ne signifie pas que tu n'auras pas envie de manger. La vérité, c'est que, pour le moment, tu utilises tes forces vitales. C'est ce qui te nourrit. Tu puises dans tes réserves. Si tu restais trop longtemps dans l'obscur, tu les épuiserais. Quand tu en sortirais, tu ne serais plus qu'une coque desséchée, tu ne survivrais que quelques semaines, voire quelques jours.

Voilà pourquoi il te faut trouver ce que tu cherches le plus vite possible et t'en aller d'ici !

Connaître la vérité est généralement une bonne chose, mais ma situation m'apparaissait plus inquiétante à chaque nouvelle information. Néanmoins, ma propre survie n'était pas seule à plaider pour mon retour rapide dans le Comté.

– Tu as raison, Thorne. Je dois repartir avec la dague pour accomplir le rituel à Halloween. Grimalkin, malgré tout son pouvoir, ne gardera pas indéfiniment la tête du Malin hors des griffes de ses alliés. Ils sont trop nombreux, ils finiront par la rattraper. Il faut que je sois de retour avant. Est-ce pour cette raison que tu es venue à mon secours, Thorne ? Pour aider Grimalkin ?

En guise de réponse, elle eut à peine un hochement de tête. Elle avait trouvé la mort aux mains des serviteurs du Malin. La vengeance était sûrement un autre de ses mobiles. Une nouvelle question me vint alors à l'esprit :

– Qu'arrive-t-il à ceux qui meurent dans l'obscur ?

– Si c'est un mort qui meurt ici, il tombe en poussière et cesse d'exister. Au bout de quelque temps, certains abandonnent la lutte pour la survie. Ils préfèrent le néant à une éternité de tourment. Tel sera mon destin. Quant à toi, Alice, j'ignore ce qui t'arriverait. Je n'avais encore jamais rencontré de vivant en ces lieux.

Je ne comptais pas m'attarder dans l'obscur plus longtemps que nécessaire, mais rien de tout cela n'était bon à entendre.

Alors que nous approchions, j'observais la ville en contrebas. Un réseau de ruelles étroites bordées de petites maisons descendaient vers la rive de galets. On y voyait cependant quelques bâtiments plus grands, ainsi que deux espèces d'entrepôts évoquant des silos à blé.

Je désignai un vaste édifice, bâti en hauteur :

— C'est un château ?

— Non, c'est la basilique, une sorte de cathédrale.

Je haussai les sourcils de surprise. La seule cathédrale que je connaissais était celle de Priestown, reconnaissable à son haut clocher. Celle-ci n'avait pas de clocher, mais une tour carrée, d'une masse impressionnante.

— Il y a des gens qui prient, dans l'obscur ?

— Oui, mais ici, c'est au Malin que la plupart des morts rendent un culte. Certains vénèrent d'autres divinités, tels la Morrigan ou Golgoth, le Seigneur de l'Hiver, qui ont toutes leurs autels à l'intérieur de la basilique.

— Il existe sûrement des morts qui ne célèbrent aucun dieu, qui sont des ennemis du Malin, non ?

Je me demandais si nous trouverions une protection, quand nous traverserions son domaine.

– Il y en a quelques-uns, admit Thorne. Mais ne compte pas trop sur eux ! Nous ne pourrions les appeler à l'aide que dans une situation désespérée, et nous les mettrions en grand danger.

Je n'avais plus qu'à espérer que nous n'en arriverions pas là.

Je repris donc :

– Alors, par où sort-on ?

– Ici, le portail ne reste jamais longtemps au même endroit. Parmi les entités les plus puissantes, certaines le manipulent. Elles exigent parfois un droit de passage. On va le chercher ; on finira bien par le flairer.

– Tu es déjà sortie une fois de ce domaine. As-tu payé un droit de passage ?

Thorne hocha la tête.

– Je l'ai payé avec du sang. C'est la monnaie qui a cours ici.

Et, sans me laisser le temps de l'interroger plus avant, Thorne allongea le pas et me distança.

Après avoir descendu la pente, nous parvînmes en terrain plat. Entre nous et les premières habitations, dont aucune fenêtre n'était éclairée, s'étendait un terrain marécageux hérissé d'arbres morts et de

touffes de roseaux. Nos souliers pointus s'enfonçaient dans la boue à chaque pas.

Quelques silhouettes apparurent au loin. La lune
étant cachée derrière les bâtiments, il était difficile de bien les distinguer dans la pénombre – des
hommes et des femmes, qui semblaient errer sans
but. Certains tournaient en rond. Je percevais des
marmonnements incompréhensibles.

– On les appelle « les Perdus », m'expliqua
Thorne. Ils ne savent pas qu'ils sont morts, et leurs
souvenirs de la terre sont brouillés. Ce sont des
proies toutes désignées ; rien de plus facile que de
leur prendre leur sang, ils ne résistent pas longtemps.

Enfin le sol se raffermit. Or, comme nous quit-
tions le marécage, j'eus soudain l'impression d'être
observée, et mes cheveux se hérissèrent sur ma
nuque. Je me retournai à deux reprises ; je ne vis
rien. Puis, du coin de l'œil, je captai un mouvement.

– Quelque chose nous suit sur notre gauche...,
soufflai-je à voix très basse.

Une ombre m'avait semblé surgir du marécage ;
elle avait disparu dès qu'elle avait senti mon regard.

– Marche, et ignore-la, m'ordonna Thorne. Ne
t'inquiète pas ! Les êtres qui hantent ces sombres
terres marécageuses ne sont pas assez forts pour survivre en ville. Il s'agit probablement d'un glipp.

Je ne connaissais pas ce terme, et Thorne me l'expliqua :

– Un glipp est un élémental de catégorie inférieure, qui affectionne la boue et les eaux stagnantes. Un démon n'en ferait qu'une bouchée, et notre présence le rend nerveux. Néanmoins, poussé par la faim, il peut se révéler dangereux.

Nous atteignîmes la première habitation, une maison à un étage, aux vitres brisées garnies de rideaux de dentelle en lambeaux. Il faisait noir à l'intérieur, mais un des rideaux remua, et une forme mince et grise recula dans l'ombre.

– De cela aussi, il est inutile de se soucier, reprit Thorne. Les entités les plus redoutables se rassemblent soit près du rivage, soit autour de la basilique.

J'espérais qu'elle ne se trompait pas ; je ne pouvais me fier qu'à elle.

Nous longions à présent une venelle au bout de laquelle brillaient des lumières et d'où s'élevait une rumeur de voix. Nous débouchâmes alors dans une artère pavée, montante et fort animée. Des chandelles dansaient derrière les fenêtres. Des torches fixées à des anneaux éclairaient la partie sombre de la rue, que la lueur maléfique de la lune rouge n'atteignait pas. L'endroit ne ressemblait en rien à ce que je connaissais sur terre.

Les pavés, au lieu d'être gris comme dans le Comté, étaient aussi noirs et luisants que des morceaux de charbon. Une rigole courait le long des maisons, sur notre gauche. Le liquide qui y coulait ressemblait au sang gâté que l'on balaie le soir sur le sol d'une boucherie. Il en montait cette même odeur cuivrée, écœurante.

Des passants circulaient, des morts qui se frôlaient, vêtus de haillons, chaussés de souliers éculés. Une femme aux cheveux emmêlés avait au cou une plaie béante d'où sortait le manche d'un couteau. Sa robe était imbibée de sang.

Je jetai un regard de côté à Thorne. Ses mains mutilées continuaient aussi de saigner. On emportait donc ses blessures dans le domaine des morts...

– Baisse les yeux, me siffla Thorne. Tu vas attirer l'attention.

Voyant qu'elle marchait la tête courbée, je m'empressai de l'imiter tout en m'interrogeant sur la raison d'une telle attitude.

Je lui chuchotai en retour :

– Ils fixent tous le sol. Comment me remarqueraient-ils ?

– Garde tes réflexions pour plus tard, murmurat-elle, si bas que j'eus du mal à l'entendre. Le danger ne vient pas de ces malheureux. Ce sont des êtres de basse catégorie, de pauvres âmes tout juste bonnes à servir de proies. Où crois-tu que les forts trouvent leur nourriture ? Ces morts ne sont qu'une réserve de sang. Je te l'ai dit : c'est la seule monnaie qui ait cours ici.

6

Proies et prédateurs

L a rue continuait à monter. Nous croisions de plus en plus de morts à la démarche traînante et, derrière les fenêtres où brillaient des chandelles, je devinais des regards hostiles.

Soudain, un cri lointain me fit sursauter : j'avais déjà entendu ce son sinistre.

Il monta une deuxième fois, plus sonore. L'être qui le poussait se rapprochait, et je compris qu'il venait du ciel.

La troisième fois, je reconnus ce cri : c'était l'appel d'un engoulevent, un oiseau qui vole de nuit dans le Comté. Je savais l'imiter : au temps où je voulais prendre contact avec ma tante, Agnès Sowerbutts, il me servait de signal. Comment avais-je pu l'oublier ? Puis je me souvins avec un frisson d'effroi que ce cri ressemblait étrangement à celui du vultrace. L'un de ces monstres servait de compagnon familier à une créature que Grimalkin avait tuée et envoyée ici, dans l'obscur : Morwène, la plus puissante des sorcières d'eau ; une fille du Malin, elle aussi.

L'idée d'avoir à affronter Morwène m'emplit de terreur. Douée d'une force et d'une vélocité peu communes, elle paralysait ses victimes en les fixant de son œil de sang. Elle n'avait plus alors qu'à les déchiqueter. Dangereuse vivante, elle était sans doute encore plus redoutable morte. Le cœur me battit à m'en faire mal.

L'oiseau se montra, plana un instant au-dessus des toits, la lumière de la lune rouge jetant sur son plumage des lueurs de feu. Puis il disparut, et son cri se perdit dans la distance. Était-il à notre recherche, comme le jour où il avait traqué Tom Ward dans les marais, près du moulin de Bill Arkwright ? S'il nous avait repérées, son effroyable maîtresse ne tarderait pas à se montrer.

Avec l'aide de Tom, Grimalkin avait tué Morwène et son compagnon, et j'avais tenu mon rôle dans la stratégie qui avait entraîné leur mort. Morwène l'avait sûrement appris des autres créatures de l'obscur ; elle voudrait se venger.

Une chose, cependant, jouait en ma faveur et rendait la menace moins immédiate : l'élément naturel de Morwène était l'eau ; hors d'un environnement humide ou marécageux, elle s'affaiblissait rapidement et ne pouvait survivre longtemps. Or, dans cette ville au sol pavé, le seul élément liquide était le sang.

Mais si les règles étaient différentes, ici ? Morte, la sorcière avait-elle encore besoin d'eau ?

Une cloche de la basilique se mit alors en branle, et j'en sentis la vibration jusque dans mes mâchoires. Il me semblait que les pavés noirs, sous mes pieds, tremblaient eux aussi au rythme de ce son terrible.

Sans un mot, Thorne m'entraîna dans une venelle étroite et, d'une pression sur l'épaule, m'ordonna de m'accroupir.

La cloche sonna treize coups. Presque aussitôt, un hurlement monta de la rue, suivi, tout près de nous, par un gémissement d'angoisse.

– Que se passe-t-il ? soufflai-je.

Thorne me répondit dans un chuchotement, la bouche contre mon oreille :

– Cette cloche sonne souvent, mais de façon imprévisible, c'est pourquoi il est si dangereux de marcher dans les rues. Elle annonce ce qu'on appelle le Choix. Le dernier coup convoque celui qui est choisi pour mourir : une voix terrible tonne dans sa tête et lui ordonne de se rendre à la basilique, où il sera vidé de son sang.

– Et si le « choisi » ne s'y rend pas ?

– Rares sont ceux qui peuvent résister à la voix. D'ailleurs, mieux vaut lui obéir, car ainsi ta seconde mort n'est que peu douloureuse. Ceux qui fuient sont poursuivis sans merci et souffrent une longue et cruelle agonie.

– Tu en as été témoin ?

– Oui, une fois, peu après mon arrivée dans l'obscur. J'ai vu un groupe de sorcières traîner un homme jusqu'à la place du marché, derrière la basilique, et le mettre méticuleusement en pièces. Des morceaux de son corps jonchaient déjà les pavés qu'il hurlait encore.

À ces mots, je me recroquevillai, mais je devinai que Thorne ne m'avait pas tout dit.

Je ne me trompais pas, car, après un bref silence, elle ajouta :

– Encore une chose : dès que la cloche a fini de sonner, les prédateurs ont le droit de chasser qui ils veulent pendant un court laps de temps. Puis un coup unique retentit, annonçant la fin de la traque.

D'autres cris s'élevèrent dans la rue. Plus près de nous, au bout de la venelle, quelqu'un gémit, de peur ou de douleur, je n'aurais su le dire. Partagée entre le désir de secourir un malheureux et la crainte d'être repérée, je ne bougeai pas. De toute façon, Thorne se cramponnait si fort à mon épaule que je n'aurais pu faire un mouvement.

Une créature descendit alors à deux reprises vers notre cachette, nous frôlant de gauche à droite, puis – sûre de notre présence, mais incapable de nous localiser avec précision – de droite à gauche. Ce n'était pas un vultrace, de cela j'étais sûre. Ce volatile était bien trop grand.

Il revint presque aussitôt en poussant un cri rauque évoquant celui d'un corbeau géant. Cette fois, il plana au-dessus de nos têtes, et j'eus le temps de l'observer. On aurait dit une énorme chauve-souris, de la taille d'un être humain, avec des yeux rougeoyants et de larges ailes membraneuses soute-nues par une structure osseuse. Ses quatre membres grêles se terminaient par des mains griffues.

– Elle nous a choisies comme proies ! s'exclama Thorne en sautant sur ses pieds, prête à se défendre.

Malgré ses griffes acérées, ce prédateur ne me semblait pas si redoutable – même si les apparences sont parfois trompeuses. Je me préparai à contre-cœur à faire usage de ma magie. Or, à l'instant où la bête se préparait à fondre sur nous, la voix grave de la cloche résonna une fois au-dessus des toits. Dans un battement d'ailes, la créature s'envola avec un cri aigu.

– On est tranquilles jusqu'à la prochaine sonnerie, dit Thorne.

– Au moins, commentai-je, le délai accordé aux prédateurs est court.

Pour le moment, la chance était de notre côté.

– C'est vrai. Mais il arrive que l'un d'eux continue de traquer discrètement sa proie. On ne peut jamais savoir d'où viendra le danger.

– Ça signifie que cette chose va nous surveiller jusqu'à la prochaine période ?

Thorne confirma cette hypothèse d'un hochement de tête.

– C'est un chyke. Il appartient à une catégorie de démons inférieurs, qui deviennent dangereux quand ils chassent en horde. Maintenant qu'il nous a repérées, il nous retrouvera à notre odeur. Il transmettra peut-être même l'information à ses congénères, qui se joindront à lui. Plus nous séjournons ici, plus nous prenons de risques.

– Et Tanaki ? Il nous poursuivra ?

– Ce n'est pas impossible.

Nous rejoignîmes la rue et, quand je vis Thorne baisser la tête, je l'imitai aussitôt. Elle tourna bientôt sur la gauche pour emprunter un escalier. La masse menaçante de la tour, baignée par la lumière sanglante de la lune, dominait les toits ; je compris que nous nous dirigions vers la basilique.

Des morts circulaient toujours autour de nous en traînant les pieds. Ceux qui montaient se tenaient sur la gauche, près du caniveau empli de sang coagulé. Ceux qui en descendaient marchaient à droite. Tous gardaient les yeux baissés.

— Où vont ces gens ? demandai-je.

— Certains se rendent à la basilique pour le culte. D'autres sont en quête de nourriture. Il existe des boutiques où les victimes sont prises au piège et lentement vidées de leur sang. Une mesure de sang, telle est la récompense pour avoir dénoncé quiconque aurait fui le Choix. Ce genre de délation est courant ; ici, les chiens se dévorent entre eux.

Réfléchissant à l'attaque du chyke, j'observai :

— À quoi bon fixer le sol et éviter les échanges de regards si les prédateurs descendent du ciel ?

— Certains sont capables de métamorphoses. Ils peuvent aussi bien marcher derrière toi sous une apparence humaine, attendant l'instant propice pour frapper. Beaucoup ont le pouvoir de te figer sur place d'un seul coup d'œil ou de pénétrer ton esprit, t'imposant de les attendre quelque part jusqu'à la sonnerie de la cloche. Alors, évite de regarder un mort dans les yeux !

— On pourrait être *choisies* ? soufflai-je, terrifiée à l'idée d'entendre dans ma tête l'ordre de me rendre à la basilique.

– Tu n'es pas morte, Alice. Tu es en sécurité, du moins pour le moment. Moi, je pourrais l'être. C'est pourquoi j'ai fui ce domaine le plus vite possible. J'ai pris un grand risque en y revenant.

J'opinai en silence, appréciant son courage. Elle était plus menacée que moi. Je me demandai s'il ne serait pas plus juste de la remercier, de la renvoyer et d'affronter seule le danger.

En dépit de ses recommandations, je ne pus m'empêcher de jeter un coup d'œil à la basilique. Il émanait de ce bâtiment sinistre une aura indéfinissable. En Grèce, j'avais assisté au surgissement de la citadelle de l'Ordinn à travers un vortex de feu. Jamais je n'oublierai ses trois flèches spiralées, percées de hautes fenêtres en arceau derrière lesquelles circulaient des êtres venus de l'Enfer. Emmenée prisonnière à Priestown pour y être jugée, j'avais vu l'affreuse gargouille surplombant le portail de la cathédrale, image de l'entité effroyable appelée le Fléau. J'avais parcouru le labyrinthe souterrain, j'avais été retenue captive par ce démon. Or, cette basilique des morts, dans la lumière sanglante de la lune, m'emplissait d'une terreur différente, dont je n'arrivais pas à cerner l'origine.

Plus nous montions, plus la ruelle se resserrait et plus les torches étaient espacées. La lune de sang illuminait les toits, mais les façades des maisons et les pavés du sol restaient dans l'ombre. Peu de morts circulaient encore. Thorne, qui marchait devant, ralentit le pas. Elle finit par s'arrêter et renifla bruyamment à trois reprises. Puis elle se retourna, et l'expression de son visage m'effraya.

– Ça ne pourrait pas être pire, souffla-t-elle. Le portail est à présent à l'intérieur de la basilique.

– Je suppose que ce n'est pas un hasard...

– Non. Tu es repérée. De puissants serviteurs du Malin l'ont transporté ici afin de t'obliger à entrer. Ils sont à l'intérieur.

J'inspirai profondément avant de lâcher :

– Je dois continuer tout de même. Le temps passe, et il me faut ce poignard, à n'importe quel prix. Mais toi, Thorne, tu n'as pas à m'accompagner. Je te suis reconnaissante du soutien que tu m'as apporté. Tu as déjà pris bien assez de risques.

Thorne me regarda droit dans les yeux. Quand elle parla, ce fut d'une voix étrangement douce :

– Il y a un autre moyen, Alice. Je connais un endroit où des amis t'attendent – ceux dont j'ai fait mention plus tôt.

– Des amis ? Quels amis ?

– Tu en connais certains ; d'autres sont des ennemis du Malin, ce qui fait d'eux tes amis. Je me refusais à accepter leur aide, je ne voulais pas les mettre en danger. Maintenant que le portail est à l'intérieur de la basilique, je n'ai plus le choix. Nous avons besoin d'eux ; ils connaissent peut-être un passage.

Me rappelant la galerie qui menait aux cachots de la tour Malkin, je supposai :

– Il existe des entrées secrètes ?

– C'est possible. Certaines de ces personnes sont ici depuis très longtemps. Elles savent presque tout sur l'obscur.

– En ce cas, allons les trouver !

Nous reprîmes notre marche, et la tour massive nous couvrit bientôt de son ombre. Thorne se dirigea vers une maison plus grande que les autres, bâtie un peu à l'écart sur un terrain envahi d'orties et d'herbes folles. Nos pieds s'enfonçaient dans un sol marécageux. La porte d'entrée était entrouverte. Thorne la poussa et entra sans frapper. Je la suivis à travers une salle vide au fond de laquelle un escalier descendait au sous-sol. Nous nous y engageâmes.

Le claquement de nos souliers pointus sur les marches de pierre signalait notre présence et faisait remonter en moi un souvenir imprécis, mais terriblement effrayant.

Nous arrivâmes dans une cave qui me parut beaucoup plus vaste que la maison. Un large bassin empli d'une eau bourbeuse occupait presque la moitié de sa surface. Je reconnaissais cet endroit, à présent.

C'était la réplique exacte d'une autre cave, que je ne me rappelais que trop bien.

Une chaise était posée contre le mur du fond.

Quelqu'un y était assis.

Une femme au visage gras, aux cheveux gris hirsutes, fixait sur moi de petits yeux de cochon sous des sourcils broussailleux. Elle suintait la haine par tous les pores.

C'était Betsy Gratton, une de mes vieilles ennemies, qui avait quantité de raisons de chercher à me nuire.

J'étais tombée dans un piège.

Thorne m'avait trahie.

7

Comment tout a commencé

Pour expliquer qui est Betsy Gratton, je dois
revenir au temps où je vivais avec Lizzie.

Je suis née à l'est de Pendle, dans l'ombre inquiétante de la colline. Étant d'une famille de sorcières,
j'avais le mal dans le sang. Destinée à être instruite
dans l'art de la magie noire, j'ai passé deux ans sous
la direction de la plus puissante des sorcières, Lizzie
l'Osseuse. Deux années pénibles.

J'ai vécu pendant cette période des choses que
je n'ai jamais racontées à mon ami Tom Ward. Des
choses terrifiantes, qui m'ont valu ma première
confrontation avec Betsy.

La pire semaine de mes années avec Lizzie fut celle où elle m'emmena avec elle pour tenter de tuer un épouvanteur.

J'étais en train d'étudier dans la cave de sa masure quand j'entendis le claquement de ses souliers pointus sur les marches de pierre. J'en fus étonnée. Minuit n'avait pas encore sonné, et je ne l'attendais pas avant l'aube – elle s'était rendue à une assemblée du Conventus des Malkin.

Je levai les yeux de mon livre à l'instant où elle s'avançait dans la lumière de la chandelle. Elle aurait été séduisante, avec ses grands yeux et sa chevelure noire, sans son air perpétuellement renfrogné. Elle ne cessait de marmonner – des formules de malédiction le plus souvent. Et je compris, au pli amer de sa bouche, qu'elle était de fort mauvaise humeur.

– Assez lu pour ce soir ! me lança-t-elle. Nous partons.

Cette nouvelle n'avait rien pour me réjouir. À cette heure tardive, j'étais fatiguée et j'avais hâte de gagner mon lit.

– Où ça ?

– À Bury, un village au sud de Ramsbottom.

Je n'avais jamais entendu parler de cette localité. Au-delà des limites de Pendle, je ne connaissais pas grand-chose du Comté.

– On a un travail à faire, siffla Lizzie. Un sale boulot. Ordre du Conventus. On a tiré à la courte paille, et le sort m'a désignée. Notre tueuse est occupée ailleurs, aussi cette tâche me revient. Je dois régler son compte à un épouvanteur. Il mérite la mort. Nous l'avions pourtant maudit, mais il a survécu. Il nous crée des problèmes depuis trop longtemps ; ça ne peut plus durer.

Lizzie remarqua sans doute ma réticence, car elle me jeta un regard noir.

– Assez traînassé, petite ! Amène-toi, ou ça ira mal !

Elle frappa du pied. Aussitôt, une horrible petite créature émergea du coin le plus obscur de la pièce.

C'était Spig, le mangeur de cerveau, son compagnon familier. Lizzie s'amusait à l'utiliser contre moi ; elle savait combien j'en avais peur. Elle m'avait raconté la mort tragique d'une jeune fille du clan Malkin. La sorcière qui assurait son instruction était vieille et perdait un peu la tête. Elle lui avait envoyé une créature de la même espèce pour la punir d'avoir laissé brûler des toasts, puis elle n'y avait plus pensé. Comme elle était sourde, elle n'avait pas entendu les appels au secours. Quand elle était enfin revenue voir ce qui se passait, il était trop tard. Les yeux de la fille n'étaient plus que des orbites vides ; la créature lui avait dévoré le cerveau.

Cette pensée me terrorisait. Si je n'obéissais pas tout de suite, j'allais subir le même sort. Je devrais tenir la bouche fermée et me pincer les narines pour que cet être hideux ne s'y introduise pas. Mais il tenterait alors d'entrer par mes oreilles... Je n'aurais pas assez de mains pour me défendre. J'étais convaincue que, si je contrariais trop Lizzie, un jour elle m'abandonnerait à son horrible Spig.

Refermant le grimoire que j'étudiais, je me levai et repoussai le tabouret sous la table. Tandis que Spig regagnait son coin d'ombre, je soufflai la chandelle et suivis Lizzie dans l'escalier.

Nous allions tuer un épouvanteur, et cette idée ne me plaisait pas du tout. Cela se passait bien avant que je rencontre John Gregory, le maître de Tom Ward. Je ne savais des épouvanteurs que ce que les sorcières en disaient : ils étaient nos ennemis, ils combattaient les fantômes, les spectres, les gobelins et les pernicieuses comme Lizzie.

Je pensais que tomber entre leurs mains était le pire qui puisse arriver. Certains vous jetaient au fond d'une fosse et vous y laissaient croupir tout le reste de votre misérable existence. D'autres vous arrachaient le cœur et le mangeaient pour vous empêcher de revenir d'entre les morts.

Certains épouvanteurs étaient plus efficaces que d'autres. Si celui-ci s'était attaqué au Conventus des

Malkin, le plus dangereux de Pendle, il était particulièrement courageux et connaissait son affaire. Peut-être le combat contre les sorcières était-il sa spécialité ? Auquel cas il possédait une chaîne en argent et des tas de fosses où enfermer ses captives.

Je n'avais aucune envie de passer ma vie au fond d'un trou. Mais je n'avais pas le choix ; j'accompagnai donc Lizzie dans la nuit.

Elle se mit en route à grands pas, et je dus forcer l'allure pour ne pas me laisser distancer. Juste avant l'aube, nous nous installâmes dans un bois qui nous cacherait pendant les heures du jour.

Épuisée, j'aurais été bien contente que Lizzie me laisse dormir jusqu'au crépuscule, mais elle m'envoya à la chasse. J'étais douée pour ça, j'avais appris à construire des pièges dès ma petite enfance. Je savais aussi fasciner les lapins en sifflant de telle sorte qu'ils venaient d'eux-mêmes dans ma main.

J'en attrapai deux, et à mon retour je vis que Lizzie avait déjà allumé un feu pour y cuire notre repas. Parfois, elle préférait la chair crue – en particulier celle des rats –, mais ce matin-là elle dévora son lapin rôti avec appétit, à même la branche qui lui avait servi de broche.

– Tu as de la chance d'être avec moi, petite ! me dit-elle en se léchant les doigts. Il est rare d'assister au châtiment d'un épouvanteur.

– Comment vas-tu t'y prendre ? demandai-je nerveusement.

Je m'imaginai enfermée vivante dans une fosse où je devrais manger des vers, des limaces et des rats. Lizzie m'avait appris à attirer les rats, mais je me savais incapable de les dévorer crus.

– Il existe plusieurs méthodes, dit-elle.

Pour une fois, elle semblait satisfaite de mon intérêt.

– Un épouvanteur, en tant que septième fils d'un septième fils, est en partie immunisé contre les malédictions. Il faudra donc utiliser la manière forte. Le mieux serait d'envoyer quelqu'un le tuer à notre place...

– Quelqu'un qu'on manipulerait par magie ?

Il existait des sortilèges de compulsion qui obligeaient les gens à agir contre leur volonté, surtout les hommes, plus faciles à contrôler que les femmes. Et Lizzie avait un sens de l'humour très particulier en ce qui concernait les premiers. Nous connaissions un meunier, près du village de Sabden, un type corpulent, aussi velu de bras que chauve de crâne. Chaque fois que nous passions par là, Lizzie l'obligeait à courir à quatre pattes en aboyant comme un chien.

– Pourquoi gaspiller ta magie quand des ennemis de l'Épouvanteur peuvent faire le travail pour toi ? répliqua-t-elle sèchement.

– Et il a des ennemis dans les environs ?

Il en avait sans conteste à Pendle, mais nous étions étrangères ici.

– Nous en connaissons, petite, bien que pas personnellement. Les noms d'Annie Cradwick et de Jessie Stone t'évoquent-ils quelque chose ?

Je fis signe que non.

– Ça ne me surprend pas : elles ont été assez astucieuses pour se marier et changer de nom. Mais elles étaient originaires de Pendle. À la mort de leurs maris, elles ont repris leurs activités. L'épouvanteur les a tuées l'une et l'autre à un mois d'intervalle et les a enterrées dans son jardin. Si nous les relâchons, ces deux sorcières mortes seront ravies de travailler pour nous.

Ayant repris notre périple, nous atteignîmes les faubourgs de Bury avant l'aube. Malgré l'obscurité, Lizzie n'eut guère de mal à trouver le logis de l'épouvanteur. Il habitait à un mille à l'est du village, au bout d'un étroit sentier.

Les membres du Conventus l'avaient espionné à tour de rôle pour détecter ses points faibles, mais je sus au premier regard que sa demeure n'en avait pas. Comme Lizzie me le fit remarquer, sa seule vulnérabilité était qu'on pouvait l'observer depuis le sommet d'une colline proche. C'est là que nous nous postâmes, dissimulées dans les broussailles.

La propriété de l'épouvanteur comprenait une maison à un étage entourée d'un vaste jardin, ceint de hauts murs de pierre et doté d'un unique portail. Les fosses des deux sorcières étaient quelque part sous les branches d'un bosquet.

Aucune lumière ne brillait aux fenêtres. Nous montâmes la garde jusqu'au lever du soleil, puis nous dormîmes tour à tour – Lizzie prenant plus que largement sa part de sommeil. Nous guettâmes toute la journée au point d'en avoir mal aux yeux sans repérer le moindre signe de vie.

– Il a dû s'absenter, conclut Lizzie alors que le soleil se couchait. On se donne encore une heure, puis on descend et on jette un coup d'œil.

– Si j'attrapais quelques lapins ? proposai-je.

Je mourais de faim.

Lizzie secoua la tête.

– Le travail d'abord, le repas après.

– Comment s'appelle cet épouvanteur ?

– Quelle importance ? Il sera bientôt mort ; il n'aura plus besoin de nom.

– Pas même pour qu'on l'inscrive sur sa tombe ?

Lizzie eut un sourire sinistre.

– Quand les griffes et les dents des deux sorcières se seront acharnées sur lui, il ne restera pas grand-chose à enterrer. Elles attendent leur vengeance depuis des années dans la froide terre boueuse !

Les heures passaient, et Lizzie dissimulait mal sa nervosité. Comme beaucoup de sorcières, elle utilisait d'habitude le long flair pour détecter l'approche d'un éventuel danger, une technique que j'avais apprise aisément et que je maîtrisais même mieux qu'elle. Mais ce procédé ne fonctionnait pas sur un épouvanteur. Lizzie craignait qu'il ne revienne quand nous serions dans son jardin.

La nuit tomba, mais le ciel restait clair. Un croissant de lune répandait au-dessus de nous sa lumière argentée. Lizzie nous conduisit enfin jusqu'au jardin. Je savais qu'elle ne tenterait pas d'escalader la grille du portail, car le contact du fer cause de vives douleurs aux sorcières. Avec un sourire torve, elle désigna le mur.

– Passe par-dessus, petite ! Dépêche-toi ! Et appelle-moi dès que tu auras vérifié s'il n'y a pas de danger.

Elle ne voulait pas s'y aventurer elle-même ! C'était à moi de prendre les risques. Néanmoins, je ne pouvais guère protester.

Je grimpai donc le long du mur et, une fois en haut, je me retournai sur le ventre pour me laisser tomber de l'autre côté. Pliant les genoux pour amortir le choc, je roulai sur l'herbe. Puis, parfaitement immobile, je tendis l'oreille. J'avais les nerfs à vif. Pénétrer ainsi dans le domaine d'un épouvanteur me paraissait le comble de la folie.

À part le chuchotement du vent dans les hautes herbes et le hululement lointain d'une chouette, je ne perçus aucun bruit.

– Ça va ? me souffla Lizzie.

Je reniflai rapidement à trois reprises. Je ne décelai rien de suspect.

Je me relevai lentement et répondit que ça allait.

Trois secondes plus tard, la sorcière atterrissait sans bruit sur le sol meuble.

– Contente de te retrouver en un seul morceau, ricana-t-elle. Il est difficile de prévoir sur quel genre de piège on va tomber. Le vieux Gregory, à Chipenden – l'épouvanteur le plus puissant du Comté –, s'est attaché un gobelin pour garder sa propriété. Quiconque s'y introduirait serait aussitôt mis en pièces.

Sans un regard en arrière, Lizzie se dirigea vers le bosquet. Je la suivis en fulminant. J'ignorais qu'un épouvanteur pouvait apprivoiser un gobelin. Si celui qui habitait ici en avait possédé un, je serais déjà morte. Lizzie s'était servie de moi pour assurer sa propre sécurité.

Arrivée sous les arbres, elle se dirigea vers deux longues pierres noires couchées côte à côte.

– Annie et Jessie sont enterrées là-dessous. Certains épouvanteurs utilisent des barres de fer pour emprisonner les sorcières et les empêcher de remonter à la surface. Jacob Stone est de la vieille école, et c'est un radin. Les rochers ne coûtent rien – il suffit d'embaucher quelques gros bras pour les positionner sur les tombes, et ce genre d'ouvrier ne se paye pas cher.

Cet épouvanteur s'appelait donc Jacob Stone. J'eus presque de la peine pour lui. Les deux sorcières emprisonnées avaient sûrement égorgé des enfants pour s'abreuver de leur sang, et augmenter ainsi leurs pouvoirs magiques. Je n'avais jamais vu Lizzie le faire, mais parfois, quand elle avait été absente toute la nuit, elle rapportait des pouces fraîchement coupés, qu'elle faisait bouillir pour en ôter la chair. Certains étaient bien trop petits pour avoir appartenu à un adulte.

– On va embaucher des ouvriers, alors ? Sinon, je ne vois pas comment on déplacera ces énormes blocs.

J'avais employé un ton innocent pour qu'elle ne détecte pas la raillerie. Je savais bien que Lizzie ne payait jamais personne ! Je supposais qu'elle emploierait une forme quelconque de magie noire, mais laquelle ? Je n'en avais aucune idée.

Lizzie renifla avec mépris.

– Nous allons embaucher des rats, petite ! De bons gros rats bien gras !

Sur ces mots, elle s'assit en tailleur et entama la récitation d'une formule. Trente secondes plus tard, le premier rat accourait en piaillant. Tout ça me paraissait stupide. Comment des rats soulèveraient-ils des blocs aussi lourds ?

L'animal, une grosse bête grise aux longues moustaches, se dirigea droit vers la main gauche de Lizzie. Elle lui tapota gentiment la tête d'un doigt, et il tomba, inerte. Mais, il était encore vivant ; je voyais son ventre palpiter. Au bout de quelques minutes, treize rats étaient alignés sur le sol. Ce que Lizzie fit alors m'emplit de dégoût.

Elle décapitait chaque rat d'un coup de dents, puis crachait la tête à ses pieds avant de jeter le corps derrière elle.

Je dus bientôt m'éloigner pour ne pas vomir. Mais, sachant qu'elle me rappellerait à l'ordre et désireuse de me dominer, je revins dès que ma nausée fut passée. Je trouvai Lizzie à genoux devant un petit tas de têtes de rats. Les yeux fermés, elle psalmodiait un nouveau sortilège. Plus rien ne bougeait dans le jardin. Le vent était tombé, je n'entendais que le marmonnement de la sorcière. Puis un bourdonnement s'éleva, semblable à celui d'une grosse mouche. Je déteste tous les insectes volants ou rampants, en particulier les mouches et les araignées. Je ne supporte pas leur contact. Je m'écartai donc vivement.

Une énorme mouche à viande se posa sur l'œil vitreux d'une des têtes. Le vrombissement alla crescendo, et l'air s'emplit de sa vibration frénétique, plus sonore qu'un vol d'abeilles. Un nuage de mouches affamées s'abattit sur les têtes de rats, bruissant et bourdonnant.

Lizzie se courba jusqu'à presque toucher du front cette masse grouillante. Elle prononça alors un mot en Ancien Langage. Abandonnant leur festin, les mouches s'élevèrent toutes ensemble pour se répandre sur son visage et ses épaules. Puis un trou apparut dans la noire couverture : Lizzie avait ouvert la bouche. Elle tira la langue, qui se couvrit à son tour de mouches.

Je me détournai de cet affreux spectacle et me bouchai les oreilles pour ne plus entendre ces sons insupportables.

Quelqu'un me tapota le dos. Derrière moi, Lizzie se léchait les lèvres en riant.

Les mouches avaient disparu. Sans doute la plupart s'étaient-elles envolées. Mais, connaissant Lizzie, je devinai qu'elle en avait avalé une bonne ventrée.

– Ne fais pas la fine bouche, ma fille ! Une sorcière doit s'endurcir. Pour ma part, j'aime manger du rat, c'est une chair excellente. Et je ne crache pas sur quelques mouches, bien qu'elles ne soient pas aussi goûteuses. Celles-ci m'ont fourni ce dont j'avais besoin : assez de force pour remuer ces rochers !

Ses yeux luisaient d'une lueur inquiétante, que je ne lui avais encore jamais vue.

– Une chose que tu dois savoir, continua-t-elle, c'est que ce pouvoir vient d'un démon puissant appelé Belzébuth. En tant que l'un des plus fidèles serviteurs du Malin, il est assis à la gauche de son trône. Dans l'obscur, mieux vaut avoir des amis de toutes sortes, et il est l'un des miens. Il m'a souvent aidée, sans exiger grand-chose en retour. Voyons un peu ce qu'il vient de me donner !

Ces mots me firent frissonner. Lizzie s'approcha d'un des rochers et d'une poussée le fit rouler sur le côté comme s'il n'était pas plus lourd qu'un sac de plumes. Un clapotis et une forte puanteur de vase montèrent de la tombe ouverte. L'instant d'après, le deuxième rocher roulait à son tour.

Si la démonstration de force de Lizzie m'avait impressionnée, je n'utiliserais sûrement jamais ce sortilège. Décapiter des rats avec mes dents et me laisser couvrir de mouches ? Non, merci !

Lizzie prit un couteau dans la poche du haillon qui lui servait de jupe.

– Bien ! Il est temps de libérer ces deux sorcières mortes. Pour ça, le sang de rat ne sera pas suffisant. Il me faut du sang humain. Approche ! Ça ne fera pas mal.

8

Premières cicatrices

J e me figeai sur place. Voilà qui ne me plaisait pas du tout !

– Approche, petite ! aboya Lizzie. J'ai besoin de ton sang *tout de suite* !

Quoi ?

Elle voulait me tuer ? J'allais lui servir de victime sacrificielle ? C'était pour ça qu'elle m'avait amenée ici ?

– Mon sang ? répétai-je d'une voix étranglée, le regard fixé sur la lame tranchante.

– Oui, ton sang ! siffla-t-elle. Je ne peux pas utiliser le mien, il faut que je garde mes forces intactes. N'aie pas peur, fillette ! Je t'en laisserai assez pour que ton cœur ne s'arrête pas, même s'il risque de palpiter follement un certain temps.

Là-dessus, elle me saisit le bras gauche et remonta ma manche. Je ressentis une vive brûlure, et mon sang dégoulina dans la fosse. Mais il y avait une deuxième tombe, et la lame entama mon bras droit. Serrant les dents, je retins un cri, tandis que d'épaisses gouttes rouges s'écrasaient sur le sol détrempé. Je tremblais de tous mes membres, l'estomac noué par la peur.

C'était la première fois que Lizzie me prenait du sang pour exercer sa magie.

Tout en remettant le couteau dans sa poche, elle secoua la tête.

– Cesse de chialer, petite, ce n'est pas si terrible ! On a besoin de ce sang, parce qu'on a un problème. Cet épouvanteur utilise de sales procédés. Il enterre délibérément les sorcières la tête en bas, de sorte que, si elles essaient de sortir, elles s'enfoncent encore plus profondément. On sera sans doute obligées de tirer Annie et Jessie par les pieds. Mais ton sang va les encourager et leur indiquer la bonne direction. Elles vont le renifler et feront un effort pour se libérer.

Bien plus tôt que je ne m'y attendais, je perçus une agitation dans les profondeurs. Puis trois doigts émergèrent du sol. Bientôt, la lune éclaira deux mains et le sommet d'un crâne. Le même phénomène se produisit dans l'autre tombe.

– Ce Jacob Stone nous a causé bien des ennuis, fit remarquer Lizzie. Mais, pour une fois, il s'est montré négligent : il les a enterrées dans le bon sens. Elles seront dehors en un rien de temps.

Moins de cinq minutes plus tard, les deux sorcières s'extirpaient de leur tombe sans réclamer notre aide, ce dont je me réjouis. Même si j'avais déjà rencontré une sorcière morte, la vue de ces deux-là me changea les genoux en gélatine. Jessie et Annie n'avaient sûrement jamais été des beautés. Mortes, c'était les créatures les plus hideuses et les plus répugnantes qu'on puisse imaginer.

Une boue puante les recouvrait, les cheveux leur collaient au visage. Jessie, la plus grande, n'avait plus que deux grosses dents, qui se recourbaient sur sa lèvre supérieure comme des crocs.

Toutes deux s'avancèrent en soufflant et reniflant ; leurs petits yeux profondément enfoncés dans leurs orbites luisaient à la lumière de la lune. À en croire leurs mains aux longs ongles griffus tendues vers moi, elles n'avaient qu'une idée en tête : me mettre à leur menu du jour.

Mon sang se figea dans mes veines, et tout mon corps fut parcouru de tremblements. Les sorcières mortes possèdent une force incroyable. Parfois, elles se contentent de vider goulûment leur victime de son sang. Mais, prises d'une voracité frénétique, elles peuvent aussi lui déchiqueter la chair. Terrifiée, je me cachai derrière Lizzie. Je ne sais pas quel secours j'attendais d'elle, car elle éclata de rire.

– Elles ont goûté à ton sang, petite, et elles en veulent encore !

Puis, se tournant vers les sorcières, elle leur cria :

– Écoutez-moi bien, Annie et Jessie ! Le sang de cette fille n'est pas pour vous ! Elle vous a accordé une faveur. Elle vous a donné de quoi vous réveiller, et c'est moi qui ai roulé les rochers qui fermaient vos tombes. Je vais vous fournir des rats, assez pour vous rassasier un moment. Mais c'est Jacob Stone qui mérite un châtiment. C'est lui que vous devez tuer, pas cette fille. Buvez le sang de ce maudit ! Et vous serez libres de chasser qui il vous plaira.

Sur ces mots, Lizzie marmonna je ne sais quelle incantation, et des rats accoururent en piaillant, sans comprendre qu'ils galopaient vers leur mort.

Attrapant chaque rongeur au passage, Lizzie les jetait dans les mains des sorcières, qui enfonçaient aussitôt les dents dans leur chair.

– Viens, fillette ! dit-elle alors. Pendant qu'elles reprennent des forces, on va visiter la maison de ce vieil épouvanteur ! Qui sait ? On y trouvera peut-être quelque chose d'intéressant...

Je lui emboîtai le pas, trop contente de m'éloigner des deux immondes créatures.

La porte d'entrée était de chêne solide, mais la force magique que Lizzie avait emmagasinée n'était qu'à peine entamée. Saisissant la poignée, elle arracha la porte de ses gonds et l'envoya s'écraser dans l'allée avec un sourd craquement. Elle prit alors dans sa poche un bout de chandelle noire, l'alluma d'un mot craché entre ses dents. Et nous entrâmes chez l'épouvanteur.

Si je n'avais aucun désir de devenir sorcière, je dois reconnaître qu'une minuscule part de mon esprit s'intéressait à la personnalité de Lizzie. Auprès d'elle, je passais mon temps à trembler en espérant simplement survivre. Mais elle se montrait si assurée, si compétente... J'aurais aimé lui ressembler, être sans peur, assez maîtresse de moi pour repousser quiconque me menacerait.

À ce moment-là, néanmoins, j'étais loin de remuer de telles pensées. J'avais les nerfs en pelote. Cet épouvanteur n'avait pas jugé utile de protéger son jardin avec des pièges ; en était-il de même pour la maison ?

Lizzie ne semblait pas inquiète le moins du monde. Elle s'introduisit dans une petite bibliothèque garnie d'étagères poussiéreuses entre lesquelles les araignées avaient tendu leurs toiles. Apparemment, Jacob Stone n'avait consulté aucun de ces livres depuis bien longtemps.

– Voyons un peu ce que nous avons là ! s'exclama Lizzie en levant sa chandelle pour examiner les rayonnages.

Il devait y avoir deux cents ouvrages, aux titres aussi évocateurs que : *Entraver les gobelins* ou *Démons et élémentaux*. Presque tous traitaient des différents aspects de l'obscur. Après une rapide inspection, Lizzie s'empara d'un volume, souffla sur les toiles d'araignées qui le recouvraient et me le fourra sous le nez. Il était relié de cuir brun, et on lisait, imprimé sur la tranche : *Les pernicieuses et leurs pratiques*.

– Celui-ci, on l'emporte ! déclara-t-elle en me le tendant. Il est toujours intéressant de savoir quelle idée un épouvanteur se fait de nous. Je le rangerai dans ma propre bibliothèque.

Je me fichais pas mal de ce que les épouvanteurs s'imaginaient. Tout ce que je voulais, c'était quitter cette maison et ce jardin le plus vite possible. Mais Lizzie tenait à mener à bien son exploration.

Ce ne fut qu'à son entrée dans le grenier qu'une lueur d'excitation s'alluma dans ses yeux.

– Il y a quelque chose, ici, souffla-t-elle. Une sorte de trésor.

Dans cette vaste pièce mansardée s'entassait un bric-à-brac d'ustensiles ménagers, de vieilles boîtes et de meubles hors d'usage, rien qui ressemble à des instruments d'épouvanteur. Je remarquai dans un coin un tableau représentant un paysage sous la pluie, avec des arbres et une maison en arrière-plan, sans doute un endroit du Comté.

Lizzie ne fouilla même pas dans les boîtes. Mais, après m'avoir tendu la chandelle, elle se mit à quatre pattes et flaira le plancher au ras des lattes, au risque de s'enfoncer une écharde dans le nez.

Je reniflai moi-même à trois reprises, sans bruit pour que Lizzie ne m'entende pas. Elle avait raison. Il y avait quelque chose là-dessous – quelque chose de très bizarre.

– C'est ici ! s'exclama-t-elle soudain.

Elle enfonça ses ongles dans le bois. D'un geste frénétique, elle arracha une première latte, une deuxième. Elle scruta alors le trou sombre, qu'elle se mit à fouiller des deux mains. Quelques secondes plus tard, elle en sortait un objet qu'elle éleva devant elle.

C'était une sorte d'œuf, plus gros que mon poing, fait de morceaux de cuir noir cousus ensemble.

– Approche la chandelle ! m'ordonna Lizzie.

Je m'avançai donc, et tins la flamme tout près de l'œuf de cuir pour lui permettre de l'examiner plus attentivement. Je remarquai alors les lignes en spirale qui couraient tout autour de sa surface.

– Cette écriture est incompréhensible, marmonna Lizzie. C'est signé *Nicholas Browne*. Je me demande de qui il s'agit. Même s'il a employé une langue étrangère, son nom évoque quelqu'un de la région. C'est peut-être une sorte de mise en garde... ?

Approchant le mystérieux objet de son visage, elle le tourna dans tous les sens, la bouche crispée. Elle renifla à trois reprises :

– Il s'en dégage une impression de pouvoir. Et de danger. L'épouvanteur l'a caché pour qu'aucune créature dans notre genre ne mette la main dessus. Il faut découvrir où ce vieux fou l'a trouvé, et tout ce qu'il sait à son propos. Autrement dit, il doit rester en vie encore quelque temps...

Mais Lizzie s'était trop attardée. Nous étions encore dans l'escalier quand un cri horrible retentit.

Ça venait du jardin.

Le temps qu'on y arrive, les deux sorcières mortes avaient déjà festoyé.

Le vieil épouvanteur avait à peine franchi son portail qu'elles s'étaient jetées sur lui, l'avaient traîné dans l'herbe et avaient enfoncé leurs dents dans sa chair. Jacob Stone était à présent exsangue.

Il gisait sur le dos, fixant la lune de ses yeux qui ne verraient plus jamais. J'eus grande pitié de lui. Il avait largement dépassé l'âge où il aurait pu abandonner un métier aussi dangereux.

Le portail bâillait, grand ouvert. Il n'y avait plus trace d'Annie ni de Jessie. Ragaillardies par le sang absorbé, elles étaient parties chasser ; leur soif n'était pas étanchée. Une malheureuse famille des environs en ferait bientôt les frais.

– Bah, ce n'est pas la fin du monde ! déclara Lizzie, ôtant d'un coup de pied le bâton en bois de sorbier de la main de l'épouvanteur. Si on ne peut pas questionner un vivant, on interrogera un mort.

Elle sortit son couteau et s'agenouilla près du cadavre. Je me détournai pour dissimuler mon haut-le-cœur : elle allait lui trancher les pouces – elle ne l'avait encore jamais fait devant moi. Grâce à ces os, elle serait capable d'invoquer l'âme du vieil homme et d'en tirer les réponses dont elle avait besoin.

9

Une âme récalcitrante

Nous reprîmes aussitôt la route de Pendle. Lizzie avait hâte de regagner sa maison pour percer l'énigme de l'œuf de cuir et découvrir ses pouvoirs.

Nous arrivâmes après le coucher du soleil, mais, en dépit de son impatience, elle devait d'abord contacter le Conventus et lui faire son rapport sur l'expédition contre l'épouvanteur.

Je subodorais qu'elle garderait pour elle la découverte du mystérieux objet, sous le plancher du grenier.

Lizzie étant l'une des plus puissantes sorcières de Pendle, elle était habile à dissimuler ses activités même aux yeux des scruteuses les plus douées.

Ce ne fut donc que le soir suivant, au crépuscule, qu'elle put se mettre à l'ouvrage.

Elle prit son grand chaudron, toujours rangé près de la porte de derrière. Et c'est à moi que revint la corvée de le remplir d'eau aux trois quarts avant d'allumer un feu en dessous. Je dus faire de pénibles allers et retours entre le puits au fond du jardin et le chaudron avec des seaux pesants. Quand l'eau commença à bouillir, Lizzie entama le rituel.

Après avoir posé un tabouret près du récipient, elle s'assit, les yeux fixés sur la vapeur qui s'élevait de la surface clapotante. Puis elle y jeta les pouces de Jacob Stone, qui tombèrent au fond. Je l'observais de loin. Elle se mit à marmonner en ajoutant des poudres d'herbes diverses.

Habituellement, au cours d'un rituel, elle m'expliquait la raison de chacun de ses gestes. Là, l'enjeu était trop important pour qu'elle se soucie de le faire. En vérité, je connaissais déjà le nom et les pouvoirs de la plupart des plantes qu'elle utilisait.

Je savais aussi que, quand la chair se détacherait des os, ce serait l'instant critique, celui où elle tenterait de prendre le contrôle de l'esprit du vieil épouvanteur pour lui extirper des informations.

Il faisait tout à fait noir, à présent ; pourtant, Lizzie n'allumait pas de chandelle. Je compris vite pourquoi. Une lueur monta du chaudron, de plus en plus intense, jusqu'à éclairer parfaitement le visage de la sorcière, sa bouche pincée, ses yeux révulsés. Le rythme de l'incantation s'accélérait. L'eau bouillonnait avec furie et, soudain, deux petites choses blanches en percèrent la surface, telles des brindilles écorcées : les os des pouces de l'épouvanteur.

Puis ils disparurent dans un énorme nuage de vapeur semblable à une nuée d'orage, qui s'éleva jusqu'au toit de la maison. Je m'attendais presque à voir des éclairs en jaillir. Au lieu de quoi, un visage se dessina, celui que j'avais vu deux nuits plus tôt, fixant la lune de ses yeux sans vie.

C'était l'esprit de Jacob Stone.

À ma grande surprise, le vieil homme ne paraissait pas effrayé le moins du monde. Il dévisageait Lizzie calmement, patiemment, sans prononcer un mot.

C'était la première fois que j'assistais à l'évocation d'un mort. Les âmes des défunts cherchent d'abord leur chemin à travers les Limbes. Après quoi, elles partent pour l'obscur ou pour la lumière, selon la façon dont elles ont vécu. Celles qui rejoignent la lumière ne mettent que quelques jours, tout au plus. C'est pourquoi Lizzie s'était montrée aussi pressée de pratiquer le rituel. Une sorcière qui réussit à évoquer un esprit avant son départ vers la lumière peut le retenir à son gré dans les Limbes et le tourmenter de telle sorte qu'il se soumette à toutes ses volontés.

En tant qu'épouvanteur, Jacob Stone savait sans aucun doute à quoi s'attendre de la part d'une sorcière comme Lizzie. Il aurait dû être terrifié de se trouver à sa merci. Or, il ne manifestait pas la moindre crainte.

– Tu es en mon pouvoir, vieil homme ! coassa Lizzie. Tu me dis ce que je veux savoir, et je te laisse partir ! C'est aussi simple que ça.

Allant droit au but, elle demanda :

– L'œuf de cuir que tu avais dissimulé sous le plancher de ton grenier, à quoi sert-il ?

Je ne te dirai rien, rétorqua tranquillement l'esprit de Jacob Stone. *J'ai consacré ma vie à combattre l'obscur et à protéger les braves gens du Comté. Pourquoi devrait-il en être autrement après ma mort ? Je ne ferai rien pour vous aider, ni toi ni personne de ton espèce. Rien !*

– C'est ce que tu dis ! Mais je vais t'infliger des tourments tels que tu n'en as jamais connu.

J'ai déjà enduré bien des tourments et je les ai supportés. Je résisterai encore s'il le faut.

– Tu crois ça, vieil homme ? Tu as oublié l'état de tes genoux, ces derniers mois ? Au point que tu t'es mis à boiter ? Tant d'années à arpenter le Comté par tous les temps, ça t'a usé les articulations. Maintenant, c'est pire ! Tu le sens ?

Je suis un esprit, je n'ai plus de corps, plus de genoux. Je ne sens rien ! Rien du tout ! cria Jacob Stone.

Pourtant, quand Lizzie reprit son incantation, les rides se creusèrent sur son front, ses traits se crispèrent. La souffrance aurait bientôt raison de ses courageuses affirmations.

– Tu n'es plus si sûr de toi, hein ? jubila la sorcière, une note de triomphe dans la voix. Tes os grincent dans leurs jointures, tes genoux s'émiettent. C'est intolérable. Tu ne vas pas tenir longtemps !

Jacob Stone grimaça, sans rien lâcher de plus qu'un gémissement. Lizzie psalmodia encore un moment, visiblement perturbée par la résistance de sa victime. Puis, prise d'un accès de fureur, elle pointa le doigt vers l'esprit en frappant par trois fois le sol de son pied gauche.

– Je plante un paquet d'épingles chauffées à blanc dans ton œil droit ! glapit-elle. Il s'enfonce de plus en plus profond ! Il fouille ton cerveau ! Réponds à ma question, et la douleur cessera ! Alors, je te laisserai poursuivre ton chemin.

L'esprit de l'épouvanteur hurla, tandis que le sang ruisselait le long de sa joue et dégouttait sur son menton. Cependant il ne révéla rien.

J'avais grande pitié de ce malheureux. Voir son esprit soumis à une telle torture était un spectacle insoutenable. J'aurais voulu m'éloigner pour ne pas y assister, mais je n'osais pas bouger : si j'interrompais le rituel, Lizzie serait si furieuse que Spig lui-même ne suffirait pas à mon châtiment.

Son visage affichait une intense concentration. Mais, à sa façon de pincer les lèvres et de serrer les poings, je devinais qu'elle avait échoué : elle n'avait pas brisé l'esprit de l'épouvanteur.

Une sorcière ne peut lancer un sort aussi puissant que quelques brefs instants avant de perdre ses forces. Lizzie ne continuerait à faire souffrir sa victime que dix ou vingt secondes de plus. Après quoi, elle devrait s'arrêter.

Et c'est ce qu'elle fit, relâchant son souffle avec colère. Elle se mit à marcher de long en large devant le chaudron, les yeux fermés, comme perdue dans ses pensées.

La face de Jacob Stone s'était détendue, et il fixait la sorcière avec calme et dignité.

Lizzie s'arrêta soudain, une expression sournoise au fond des yeux.

— Tu résistes à la douleur, vieil homme, je te l'accorde. Mais qu'arrivera-t-il si je tourmente quelqu'un d'autre ? As-tu de la famille ?

Je ne me suis jamais marié. Un épouvanteur n'a pas le loisir d'avoir une femme. Il consacre sa vie à son travail, à sa vocation. Ma famille, ce sont les habitants du Comté.

— Tu es le septième fils d'un septième fils ; tu as donc des frères, peut-être même des sœurs. Qui ont sûrement des enfants et des petits-enfants. Si j'amenais ici un de tes petits-neveux ? Ne me dirais-tu pas ce que je veux savoir pour lui éviter toute souffrance ?

L'esprit sourit.

Raté, sorcière ! Oui, j'étais le septième et le plus jeune fils, mais notre maison a pris feu alors que je n'étais encore qu'un enfant. Toute ma famille a péri. Mon père m'a sauvé avant de mourir de ses brûlures. Il ne te reste aucun des miens à tourmenter.

– Il n'y a pas que la famille, vieil homme, ricana Lizzie. N'importe quel enfant fera l'affaire. Pour lui épargner la torture, tu parleras.

L'esprit ne répondit pas, seule son expression angoissée révélait que Lizzie avait vu juste. Elle lâcha un rire aigu, marmonna un mot. Aussitôt, le visage s'évanouit et le nuage suspendu au-dessus du chaudron se dispersa dans l'air nocturne.

– Il restera piégé jusqu'à ce que je le relâche, me dit Lizzie. On enlèvera un enfant demain, peut-être même plusieurs. Je briserai sa résistance. Maintenant, va me faire à souper, et dépêche-toi !

Je rentrai donc dans la maison pour m'occuper du repas, ravie de m'éloigner. Je n'aimais pas le tour que prenait cette affaire. Je savais que Lizzie avait tué des enfants pour leur prendre leurs os, mais l'entendre le dire à voix haute me retournait l'estomac. Quand elle aurait usé de l'un d'eux et obtenu ce qu'elle voulait de l'épouvanteur, le gamin n'aurait aucune chance de survie.

Après le souper, Lizzie m'envoya faire la vaisselle. Puis elle m'ordonna de nettoyer la table à fond. Elle inspecta ensuite attentivement sa surface, le nez au ras du bois.

– Tu as fait du bon travail, petite, déclara-t-elle enfin. On ne saurait être trop soigneux. Une infime trace de saleté suffit à tout gâter.

Sur ces mots, elle alla chercher l'œuf de cuir dans la cachette où elle l'avait rangé et le posa au centre de la table. Elle s'assit sur un tabouret, s'appuya sur ses coudes et fixa l'étrange objet un long moment sans bouger. Je n'entendais même pas sa respiration, à part un reniflement à deux ou trois reprises. Elle tentait d'en tirer le maximum d'informations.

J'avais un mauvais pressentiment. Cet œuf était dangereux. Être dans la même pièce que lui me mettait mal à l'aise.

– Qu'est-ce qu'il renferme, voilà ce qu'il faut découvrir, marmonna Lizzie, plus pour elle-même que pour moi. Seulement, pas cette nuit.

Elle eut un léger frisson.

– Il y a de bons et de mauvais moments pour percer de tels mystères. Parfois, il ne faut pas forcer les choses. L'ouvrir risquerait de le détruire. Il existe d'autres moyens... Je vais y réfléchir.

Selon moi, ce ne serait jamais le bon moment. Mais je ne pouvais que laisser Lizzie en décider.

Serrant l'œuf de cuir contre sa poitrine, elle retourna le cacher.

Je ne savais trop si j'en étais soulagée ou déçue. Moi aussi, j'étais curieuse de savoir ce que l'œuf contenait, en dépit de l'aura de danger qui en émanait. On aurait mieux fait de le laisser là où il était ; ça, j'en étais sûre.

10

Taches de sang

L e lendemain, Lizzie manifesta de nouveau son impatience. Elle n'osait pas toucher à l'œuf, mais, au coucher du soleil, elle résolut d'interroger encore l'esprit de Jacob Stone.

Comme d'habitude, elle me laissa la corvée d'aller puiser de l'eau pour remplir le chaudron et d'allumer le feu.

De sa main gauche – quelque peu crasseuse –, Lizzie jeta dans l'eau bouillante les os blancs des pouces de l'épouvanteur. Ils sombrèrent brièvement avant de resurgir à la surface. Comme la veille, une lueur monta du chaudron et un nuage de fumée s'éleva. Or, cette fois, l'effet escompté ne se produisit pas.

Le visage de Jacob Stone refusa d'apparaître.

Lizzie eut beau psalmodier ses formules avec l'énergie du désespoir, rien ne se passa.

– Il s'est libéré ! siffla-t-elle entre ses dents. Il est parti vers la lumière. Qui aurait cru que le vieil homme avait en lui tant de force ?

Je n'arrivais pas à y croire. Le vieux Jacob Stone était quelqu'un ! Je réalisais soudain que Lizzie n'était pas toute-puissante : un épouvanteur, même mort, pouvait la tenir en échec. Elle ne connaîtrait pas les secrets de l'œuf.

Mais cet échec l'avais mise d'humeur exécrable.

Je dormis fort mal, cette nuit-là.

Je me levai tôt le lendemain pour m'acquitter de mes corvées matinales. Je ramassai les œufs, sans oublier de visiter la haie, au fond du jardin, où les plus jeunes poules avaient l'habitude de pondre. Je reniflai chaque œuf par deux fois, ne déposant dans mon panier que les favoris de Lizzie, ceux qui contenaient des taches de sang. Elle n'en était jamais rassasiée. Lorsque j'en eus récolté une demi-douzaine, je retournai à la maison. Lizzie dormait souvent tard ; je fus donc étonnée de la trouver debout dans la cuisine, tel un chat attendant sa jatte de crème.

Elle m'arracha le panier des mains, le posa sur la table et choisit l'un des œufs. Après y avoir percé deux trous du bout de son ongle pointu, elle renversa la tête et fit couler le contenu dans sa bouche. Quand elle se lécha les lèvres, je vis des taches rouges sur sa langue.

– Ça, c'est un œuf ! s'exclama-t-elle. Presque aussi savoureux qu'un poussin près d'éclore ! Prends-en donc un, fillette !

Je fis non de la tête, le nez plissé de dégoût.

– Tu n'es qu'une sotte, de refuser un mets pareil ! Tu n'auras rien d'autre avant ce soir. Pas le temps de préparer un petit-déjeuner ! On part tout de suite.

– Pour aller où ?

– Tu le sauras bien assez tôt. On sera absentes quelques jours.

J'en avais parfois plus qu'assez d'être formée par Lizzie. Je n'avais pas abandonné l'idée de m'enfuir ; seulement, je craignais de ne pas réussir. Elle me retrouverait et me ramènerait de force. Néanmoins, si ma situation devenait trop insupportable et si l'occasion se présentait, je tenterais ma chance.

Lizzie eut bientôt gobé tous les œufs. Après m'avoir poussée dehors et avoir fermé la porte à clé, elle se mit en route à vive allure. Je la suivis, dans la lumière du soleil levant. Au nord s'étendait la masse obscure de la colline de Pendle. Après l'avoir contournée, nous atteignîmes les berges de la Ribble bien avant midi.

Lizzie examina le gué d'un œil soupçonneux.

– Tu vas devoir me porter de l'autre côté, petite !

Comme ses semblables, elle était incapable de traverser une eau courante. Elle sauta sur mon dos et s'accrocha à mon cou. N'étant pas encore sorcière, je ne craignais ni l'eau ni le sel. Mais la Ribble était large. J'aurais besoin de toute mon énergie et de la volonté de Lizzie pour atteindre l'autre rive.

Je m'élançai aussi vite que je pus. Il me fallait traverser avant que mes forces me lâchent. Les berges pentues étaient glissantes et, quand j'entrai dans l'eau, ce fut encore pire. La rivière était haute, le flot m'attaquait les chevilles avec violence. Lizzie cria de douleur et resserra ses bras autour de mon cou à me couper le souffle.

Je vacillai et manquai de tomber – l'eau m'arrivait maintenant aux genoux. Alors que je me croyais incapable de faire un pas de plus, le sol remonta sous mes pieds. J'y étais presque !

Nous nous écroulâmes toutes les deux sur la berge, aussi tremblantes l'une que l'autre, moi d'épuisement et Lizzie du traumatisme de la traversée.

Elle me lança des insultes, mais je savais que, pour une fois, elle ne pensait pas ce qu'elle disait. Elle avait eu vraiment peur. Peu de choses terrifient autant une sorcière que l'eau courante. Elle avait fait preuve d'un grand courage en se risquant dans une rivière aussi large.

Après une heure de repos, nous reprîmes notre marche. Le soir approchait quand nous escaladâmes une haute butte que Lizzie me désigna comme le Pic de Parlick. À mi-pente, elle s'arrêta pour examiner la vallée en plissant les yeux, comme si elle cherchait quelque chose.

J'apercevais Pendle au loin et, plus près, une autre colline de forme similaire, appelée Long Ridge. Rien ne bougeait, en contrebas, à part des vaches et des moutons.

Puis Lizzie désigna un bois près duquel se pressaient quelques maisons. La fumée montait de leurs cheminées, emportée par le vent d'ouest.

– C'est Chipenden, me dit-elle. À la lisière du bois habite un épouvanteur particulièrement retors. Il détient une de mes parentes dans son jardin, Mère Malkin, l'une des plus puissantes sorcières de Pendle. Elle est toujours en vie, enfermée dans une fosse. Un jour, nous reviendrons la tirer de là et nous réglerons son compte à son geôlier. Mais ce sera beaucoup plus difficile qu'avec Jacob Stone. Il s'agit de ce John Gregory dont je t'ai parlé. Sans doute le plus redoutable épouvanteur qui ait jamais arpenté les routes du Comté.

Ce projet ne me disait rien qui vaille ; j'espérais que Lizzie l'oublierait. S'attaquer à un adversaire de cette force était folie !

Sans nous attarder, nous laissâmes Chipenden derrière nous pour prendre la route du nord dans la nuit tombante, à travers des landes boueuses.

Nous contournâmes ensuite une cité que Lizzie me désigna comme étant Caster. On n'y était pas tendre envers les sorcières, même si on les envoyait plutôt à la potence qu'au bûcher. Au moins, la famille pouvait récupérer le corps d'une pendue pour l'enterrer au côté des autres sorcières mortes près de Pendle, alors que le bûcher vous envoyait droit dans l'obscur sans espoir de retour.

Quoi qu'il en soit, Lizzie n'avait aucune envie de rejoindre un jour ses sœurs de la Combe aux Sorcières, et la proximité de la cité et de son imposant château la rendait nerveuse.

Nous atteignîmes enfin un canal. J'étais fatiguée, mais Lizzie insista pour continuer malgré l'obscurité, marchant à grands pas pressés le long de la berge glissante. Elle ne s'arrêta qu'un peu avant l'aube et tourna le dos à l'eau pour désigner les champs.

– Là-bas, derrière ces arbres, il y a un moulin où vit un autre épouvanteur fort gênant. Il s'appelle William Arkwright. Il chasse nos sœurs de vase. Un jour, tu verras, je lui réglerai son compte !

– Nos sœurs de vase ? Qui sont-elles ?

– Ce sont des sorcières, petite ! Semblables à nous sur certains points et différentes sur d'autres. Elles habitent les marécages. L'une d'elles attend peut-être son heure dans l'eau fangeuse de ce canal. Si elle surgissait, elle te saisirait entre ses griffes, et c'en serait fait de toi ! Elle t'entraînerait au fond de sa demeure liquide ; tu ne serais pas encore noyée qu'elle t'aurait déjà vidée de ton sang. Il y a beaucoup de sorcières d'eau dans la région.

Alors que je jetai un coup d'œil méfiant vers le canal, des chiens se mirent à aboyer, derrière le rideau d'arbres qui cachait la maison du nommé Arkwright. Une lueur apeurée s'alluma brièvement dans les yeux de Lizzie. Puis elle pinça les lèvres et, le menton haut, reprit sa marche d'un pas furieux. Bientôt, nous obliquâmes vers l'est, laissant le canal derrière nous.

Nous passâmes la journée à dormir sous une haie et repartîmes au crépuscule. La mer brillait au loin. À mesure que la route montait, je découvrais sa surface mouvante, argentée par la lune, qui s'étendait jusqu'à l'horizon.

Je me demandai si je voyagerais un jour vers d'autres terres, mais c'était peu probable. La mer est une eau salée, et les sorcières s'en tiennent aussi éloignées que possible.

Car tel était mon destin. Devenir une pernicieuse.

Les pernicieuses n'hésitent pas à tuer de jeunes enfants rien que pour augmenter leur pouvoir. Elles finissent par abandonner tout sentiment humain. Froides et cruelles, elles sont capables des pires horreurs. Non, je ne voulais pas ça !

Minuit avait sonné. La route montait toujours le long d'une colline herbue, et Lizzie fut bientôt hors d'haleine. Je me gardai bien de l'interroger sur notre destination : elle paraissait de fort mauvaise humeur.

Alors que nous traversions un plateau rocheux, je sentis de la fumée. Lizzie s'arrêta enfin et m'attira près d'elle, enfonçant ses ongles pointus dans mon bras.

– Là-dessous, dans une masure puante, habite un ermite aussi fou qu'il est saint, siffla-t-elle. Il nous dira ce qu'est cet œuf.

– Comment le saura-t-il ? m'étonnai-je.

Elle ne répondit pas. Je la suivis donc en silence jusqu'au bas d'un escalier de pierre qui descendait vers une grotte. Lizzie y pénétra comme si l'endroit lui appartenait. Un individu à la chevelure hirsute et à la longue barbe grise, assis devant un feu, contemplait les flammes. Lizzie le fixa avec insistance sans qu'il daigne lui jeter un coup d'œil.

– Regarde-moi ! Regarde-moi tout de suite ! ordonna-t-elle.

Le visage de l'ermite se tourna lentement vers elle, et leurs yeux se rencontrèrent. L'homme ne montra pas la moindre frayeur. J'espérais que Lizzie aurait plus de chance avec lui qu'avec Jacob Stone, sinon, elle serait de mauvais poil pendant des jours, et ce serait moi qui en ferais les frais.

– Tu es radiesthésiste, vieillard. Le meilleur du Comté, à ce qu'on dit. Je veux que tu fasses quelque chose pour moi.

– Je ne ferai rien pour toi, sorcière, riposta le vieux. Retourne d'où tu viens et laisse-moi en paix ! Les créatures de ton espèce ne sont pas les bienvenues ici.

Il était bien téméraire de s'adresser à Lizzie sur ce ton ! Ignorait-il de quoi elle était capable ? C'était peut-être pour cela qu'elle l'avait qualifié à la fois de fou et de saint.

– Écoute-moi bien, Judd Atkins ! Fais ce que je te demande, et je te laisserai pourrir dans ton trou à rats. Sinon, je te couperai les pouces et les ferai bouillir dans mon chaudron. Compris ?

Judd Atkins la dévisagea tranquillement, sans la moindre trace d'inquiétude. Mais cela ne dura pas.

Lizzie marmonna quelques mots. C'était une formule de magie noire qu'elle m'avait apprise, le sort dit d'*horrification*. S'il ne marchait pas sur d'autres sorcières, il était efficace contre un homme, fût-il ermite.

Je sus aussitôt qu'à ses yeux, Lizzie se changeait en un être monstrueux : ses cheveux grouillaient tel un nid de vipères, ses yeux avaient des rougeoiements de braises.

Judd Atkins sauta sur ses pieds, blême de terreur. Il recula avec un cri étranglé. Puis il tomba à genoux, les mains pressées sur ses yeux, tremblant et gémissant. L'horrification n'est pas une vraie transformation, mais une simple illusion combinée à une puissante pulsion d'effroi dirigée vers la victime. Bien sûr, le vieil ermite l'ignorait.

Lizzie reprit lentement son apparence normale, et quand elle parla, ce fut d'une voix douce et rassurante, celle qu'on prend pour s'adresser à un jeune enfant ou à un animal apeuré.

– Écoute-moi, vieillard. Pourquoi rendre les choses aussi difficiles ? Dis-moi seulement ce que je veux savoir, et nous nous en irons. Qu'en penses-tu ?

En réponse, Judd Atkins n'émit qu'un long gémissement.

– Baisse les mains et regarde-moi ! lança Lizzie avec force.

L'ermite obéit avec une expression égarée.

– Ne me fais pas de mal, supplia-t-il. Je t'aiderai de mon mieux. Qui veux-tu que je trouve ?

– Personne !

– Alors, c'est quelque chose que tu as perdu ? Ou bien tu recherches un trésor caché ?

Fouillant dans la poche de son pantalon, il en tira un bout de ficelle au bout duquel pendait un morceau de cristal transparent.

– Avec une bonne carte, je peux localiser n'importe quoi. As-tu apporté une carte ?

Lizzie secoua la tête et, pour toute réponse, sortit du sac qu'elle portait à l'épaule l'étrange œuf de cuir.

– Je veux savoir ce qu'est cet objet et quels sont ses pouvoirs.

– Ça ne va pas être facile...

Il examina l'œuf d'un œil dubitatif.

– Le seul moyen est de poser des questions. Et la réponse ne pourra être que oui ou non. Ça va prendre du temps. Beaucoup de temps.

– Raison de plus pour commencer tout de suite !

11

Quelle quantité de sang ?

Dans un coin du taudis, une longue pièce de bois posée sur quatre pierres faisait office de table basse. S'agenouillant devant, Lizzie repoussa d'un revers de main la vaisselle qui l'encombrait avant de nettoyer la surface rugueuse avec le bas de sa jupe. Puis elle y déposa cérémonieusement l'œuf de cuir.

J'osais à peine regarder. J'avais le pressentiment que Lizzie commettait un acte dangereux. Mais j'aurais perdu mon temps à le lui faire remarquer – et, si je ne voulais pas que l'horrible Spig pénètre dans mon cerveau par mes narines, mieux valait me tenir coite. Je me contentai donc de rester à l'écart.

Lizzie fit signe à l'ermite d'approcher. Il vint s'agenouiller face à elle, de l'autre côté de la table, et j'entendis ses articulations craquer. Étendant la main, il laissa pendre le morceau de cristal au bout de sa ficelle juste au-dessus de l'œuf.

— Je suis prêt, dit-il. Pose ta première question. Le cristal tournera dans le sens des aiguilles d'une montre pour oui, dans l'autre sens pour non.

Sans perdre une seconde, Lizzie demanda :

— Cet objet appartient-il à l'obscur ?

Le cristal tourna vers la droite, ce qui ne me surprit pas.

— Ça veut dire oui, précisa l'ermite.

— Je ne suis pas aveugle ! aboya Lizzie. Ferme ton clapet, vieillard, et laisse-moi parler ! Voici ma deuxième question : l'œuf confère-t-il des pouvoirs magiques à la personne qui le possède ?

Cette fois encore, la réponse fut positive, et Lizzie esquissa son premier sourire de la journée.

— Comment son propriétaire obtient-il ce pouvoir ? demanda-t-elle alors, oubliant qu'on ne pouvait répondre à cette question par oui ou non.

Le pendule ne bougea pas.

Les coins de ses lèvres s'affaissèrent et ses yeux s'étrécirent. Cette mimique qui révélait son extrême concentration la rendait plus laide que jamais et lui donnait l'expression d'une débile mentale. J'en aurais ri si je n'avais pas eu aussi peur.

Soudain, elle marmonna une formule et cracha à la figure de l'ermite, qui en resta bouche bée.

– J'ai assez perdu de temps avec ton petit jeu, gronda-t-elle.

Le regard du vieil homme se vitrifia tel celui d'un aveugle.

– Maintenant, tu es l'œuf... Sois l'œuf ! Et dis-moi ce que je veux savoir !

Je n'avais encore jamais vu Lizzie faire quoi que ce soit de semblable. Parfois, l'étendue de ses talents me stupéfiait.

– Comment s'appelle ce sortilège ? demandai-je.

– Tais-toi, petite ! fit-elle sèchement. Tu troubles ma concentration.

Elle reprit la parole, s'adressant à l'œuf et non plus à l'ermite :

– Je veux ton pouvoir. Que désires-tu en échange ? Du sang ?

« Oui », fit le cristal en tournant.

– Quelle quantité de sang ?

Cette fois, la ficelle ne bougea pas. Ce fut l'ermite qui parla, mais sa voix était tout autre. On aurait dit un grognement de bête, bien que les mots soient compréhensibles. J'en eus la chair de poule.

– Donne-moi le sang du cœur de sept enfants humains, une nuit de pleine lune. Treize sorcières devront se rassembler pour accomplir cette action, et celle qui possède l'œuf recevra ce que son cœur désire : plus de pouvoir qu'elle en a jamais rêvé. Dès que ma soif de sang sera apaisée, qu'elle exprime son souhait. Il sera exaucé avant sept jours.

Une nausée me contracta l'estomac. Lizzie n'hésiterait pas à arracher sept enfants à leurs parents et à les massacrer.

– Rien de plus facile, fit-elle avec un sourire mielleux. À présent, dis-moi qui tu es !

– Ce que je suis, tu n'as pas à le savoir, gronda la voix par la gorge de l'ermite. Et rappelle-toi que tu ne réussiras pas seule ! Treize sorcières devront combiner leurs forces.

À l'idée de devoir travailler avec son Conventus, Lizzie grimaça de fureur. Mais elle n'avait pas le choix.

Nous quittâmes les lieux aussitôt. Lizzie semblait déterminée à couvrir le plus de chemin possible avant le lever du soleil. J'étais étonnée qu'elle ait laissé l'ermite en vie. Sans doute prévoyait-elle de l'utiliser de nouveau plus tard.

À l'approche de l'aube, nous trouvâmes refuge dans un bois, et Lizzie m'expédia à la chasse. Quand je revins, elle avait allumé un feu. Je vidai et dépouillai mes lapins avant de les enfiler sur des branches écorcées pour les faire rôtir. Pendant ce temps, Lizzie resta assise en tailleur à se chauffer.

Nous mangeâmes en silence. Lizzie était parfois parcourue de frissons, ses yeux se révulsaient.

Enfin, serrant l'œuf de cuir contre sa poitrine, elle marmonna comme si elle pensait à voix haute:

– Je ne dirai rien au Conventus Malkin. Je ne partagerai *ça* avec personne. Son pouvoir sera à moi, et à moi seule. Seulement, nous ne sommes que deux, et la fille ne compte pas; elle est trop jeune. Il me faut trouver douze autres sorcières pour former un nouveau Conventus. Des créatures pas trop malignes, que du sang suffira à contenter. Travailler avec nos sœurs de vase, ce n'est pas sans risque; néanmoins, c'est faisable. Oui, ça pourrait marcher...

Lizzie ne prit pas la peine de m'expliquer son plan. Elle ne dormit pas, ce jour-là, et nous repartîmes avant le soir en longeant la mer. La marée était basse, et je ne vis d'abord qu'une vaste étendue de sable. Puis j'aperçus un groupe de gens qui descendait vers le rivage, ainsi qu'une voiture tirée par des chevaux.

– Il existe un raccourci à travers la plage, m'indiqua Lizzie, un passage dangereux, bien qu'un guide soit là pour conduire les voyageurs. De toute façon, nous, les sorcières, devons faire le détour par la côte, car, à marée montante, on marche dans l'eau salée. Filons d'ici, petite, avant d'être repérées!

Presque aussitôt, des aboiements s'élevèrent. Lizzie me tira vivement derrière un buisson.

– Est-ce que ce serait... ? chuchota-t-elle. Ce ne sont peut-être que les chiens d'une ferme. Mais, avec un peu de chance... Il arrive que les choses tournent bien. Si c'était le cas... ?

Qu'est-ce qu'elle baragouinait ?

Un homme de grande taille, au crâne chauve, marchait derrière la voiture, deux gros chiens à ses côtés. Je croisai les doigts en souhaitant qu'ils ne nous flairent pas, car c'étaient de vrais molosses.

– Voilà William Arkwright, l'épouvanteur dont je t'ai parlé, me souffla Lizzie, tout excitée. Il part dans le nord chasser nos sœurs de vase. Il va sûrement s'absenter plusieurs jours et, au retour, il devra attendre la marée basse pour traverser dans l'autre sens. Sa maison sera déserte. Ça ne pouvait pas tomber mieux !

Sans me donner davantage d'explications, elle attendit que la troupe se soit éloignée avant de repartir.

– On va au moulin où il habite ?

– Exactement, petite ! Il y a des marécages derrière chez lui, et, quand le chat n'est pas là, les souris dansent ! Toutes les sorcières d'eau, à des milles à la ronde, vont converger vers ces lieux qui, pour elles, sont sacrés. Et nous serons là pour les accueillir.

Nous marchâmes toute la nuit pour regagner le bord du canal, dont nous suivîmes la berge. À l'aube, nous quittâmes le chemin de halage de peur de croiser un batelier ou quiconque identifierait Lizzie comme sorcière. Nous ne prîmes aucun repos ; au contraire, Lizzie allongea furieusement le pas. Le ciel était couvert, une pluie fine nous mouillait le visage.

Environ une heure avant la tombée du jour, nous atteignîmes enfin le moulin où vivait l'épouvanteur. Caché derrière les arbres, il était protégé par une haute clôture de fer. Un fossé marquait la frontière du jardin.

Je n'aimais pas son aspect. Lizzie allait encore me mettre en danger. J'aurais voulu rentrer à la maison.

– On dirait les douves qui entourent la tour Malkin ! m'exclamai-je.

– Tout juste, petite ! Mais celles-ci sont d'un genre particulier. Arkwright y dissout des paquets de sel pour éloigner les sorcières d'eau.

Je me demandais comment nous traverserions, mais ce point ne semblait guère préoccuper Lizzie.

– Ce n'est pas aussi difficile à franchir qu'une large rivière. Tu me porteras facilement de l'autre côté. J'adorerais visiter ce vieux moulin. Le vieux Jacob Stone cachait l'œuf de cuir ; je suis sûre qu'Arkwright a ses petits secrets, lui aussi. Tous les épouvanteurs en ont. S'ils trouvent quelque chose venu de l'obscur, soit ils le détruisent, soit ils le dissimulent pour que nous ne mettions pas la main dessus.

Marchant jusqu'au portail, Lizzie examina longuement le vieux moulin décati. Je ruminais l'idée de devoir la porter à travers le fossé. Finalement, elle secoua la tête, et je poussai un soupir de soulagement.

– Je suis tentée, mais ça ne vaut pas le coup. Sais-tu quel serait le plus grand danger, petite ?

La réponse me vint spontanément :

– Les chiens ! Si nous franchissons le fossé, ils flaireront notre odeur. Et Arkwright enverra ses molosses à nos trousses !

Pour une fois, Lizzie parut presque fière de moi.

– C'est ce qu'il ferait, en effet. Ces bêtes sont dressées à traquer nos sœurs de vase dans les marécages. Elles nous rattraperaient sans difficulté. Et nous avons une tâche à mener à bien.

Sur ces mots, Lizzie tourna le dos au moulin et nous conduisit le long d'un étroit sentier. Nous marchions dans une tourbière hérissée de joncs et de roseaux, parsemée de mares noires et stagnantes qui paraissaient profondes.

Je craignais de tomber dedans tant le sol était glissant. Et si des sorcières d'eau surgissaient de la fange ? Lizzie avait beau jeu de dire qu'elle allait travailler avec elles. Elles, elles n'en savaient rien !

Elles pouvaient attaquer quiconque s'aventurait sur leur territoire. Elles étaient sans doute nombreuses à converger vers les marécages, profitant de l'absence de l'épouvanteur. Certaines étaient peut-être déjà là !

Tous mes sens aiguisés par la peur, je croyais voir des herbes remuer, je sursautais au moindre clapotis. Je m'attendais à chaque seconde à ce qu'une main se referme sur ma cheville. Il aurait été tellement facile à une sorcière d'eau de se cacher dans la vase ! Le sentier, cependant, fut bientôt moins boueux ; nous avancions de nouveau sur une terre sèche. Alors que nous escaladions une butte, je découvris au sommet des murets de pierre les vestiges d'un bâtiment.

– On appelle cet endroit le mont aux Moines, m'apprit Lizzie. Un monastère s'y élevait, autrefois. Mais les moines ont été entraînés un par un dans les marécages. Les sorcières d'eau y ont pullulé, jusqu'à ce que les épouvanteurs imposent leur loi dans le Comté. Sans Arkwright et ses chiens, elles reviendraient pour de bon, tu peux me croire !

Arrivée au sommet, Lizzie s'accroupit, le dos au mur, face aux marais. Je m'assis à côté d'elle et suivis son regard. Rien ne bougeait, il n'y avait pas un souffle de vent. Néanmoins, je me sentais mal à l'aise. Les bras fantomatiques du brouillard rampaient lentement sur la pente de la colline.

Soudain, Lizzie renifla par trois fois avant de m'adresser un sourire sinistre.

– Elles ne vont pas tarder. Mieux vaut les observer un moment sans se montrer !

Je ne pris pas la peine de renifler à mon tour. Lizzie avait raison : je sentais l'approche du danger.

Elle entama la récitation d'un sortilège, et je reconnus la formule de dissimulation.

– Voilà qui devrait nous rendre invisibles, conclut-elle.

– Je croyais que tu devais former un Conventus avec elles, fis-je remarquer, perplexe.

– Attendons d'abord de voir laquelle de nos sœurs de vase va se montrer ! La plupart d'entre elles sont stupides – elles ont des cervelles de batracien. Elles m'aideraient à capturer sept enfants rien que pour une gorgée de sang. L'une, cependant, est vraiment dangereuse. Je n'ai aucune intention de passer un marché avec elle : elle s'emparerait de l'œuf. Non, celle-là, je ne veux pas qu'elle nous voie ! Elle est fille du Malin, et elle s'appelle Morwène.

Un frisson glacé me courut le long du dos, comme si quelqu'un avait marché sur ma tombe. Ce nom, j'étais sûre de l'avoir déjà entendu.

Je fus étonnée de lire de la peur dans les yeux de Lizzie.

– Elle use d'une puissante magie noire ? demandai-je.

– Oh, que oui ! Elle est plus forte et plus rapide qu'aucune de ses sœurs. Et elle possède une arme mortelle : un œil de sang qui te paralyse au premier regard, te laissant aussi impuissante qu'un arbre devant la hache du bûcheron. Elle n'a plus qu'à planter ses crocs acérés dans ta gorge. Autrement dit, si elle apparaît cette nuit, on ira chercher de l'aide ailleurs.

Nous attendîmes en silence jusqu'au crépuscule, et l'obscurité avala les marécages. Puis la lune se leva dans un ciel clair, baignant le paysage d'une lumière d'argent.

Je perçus alors un mouvement, au-dessous de nous, et cette fois ce n'était pas un effet de mon imagination : l'eau se rida, il y eut un léger clapotis, et une silhouette sombre se traîna jusqu'à la terre ferme, au pied de la colline.

La sorcière d'eau se redressa dans ses haillons dégoulinants, qui semblaient faits d'algues et de vase plutôt que de tissu.

Soudain, elle pivota dans notre direction en reniflant bruyamment. Je retins mon souffle ; par chance, le sortilège de dissimulation de Lizzie se révéla efficace. La créature nous tourna de nouveau le dos, mais j'avais eu le temps d'apercevoir les crocs qui dépassaient de sa bouche et les griffes acérées au bout de ses doigts particulièrement longs.

Une à une, plusieurs de ses semblables la rejoignirent sur la berge. Elles entamèrent un conciliabule – si on peut appeler ainsi leurs espèces de grognements et d'éructations parsemés de monosyllabes comme « faim » et « sang ».

J'avais toujours considéré avec répugnance la plupart des Malkin. Leurs maisons puantes, les ossements entassés dans leurs éviers ou à côté de leurs portes me retournaient l'estomac. Mais ces créatures étaient bien pires. Lizzie avait raison : elles n'étaient guère plus que des animaux. Allions-nous réellement faire équipe avec elles ?

Bientôt, elles furent une dizaine, à dégouliner au bord des marécages. Quelques-unes avaient tiré de l'eau une bizarre cage en bois de forme tubulaire, fort longue et fort étroite. Quelque chose remuait à l'intérieur.

Trois autres sorcières sortirent de l'eau. Elles amenaient des prisonniers avec elles : deux hommes et une femme à moitié noyés, maculés de vase. Ils se mirent à tousser et à cracher en roulant des yeux blancs.

Ils furent jetés sans ménagement dans la boue et tirés sur le dos pour être disposés en rang, à dix pas d'écart l'un de l'autre.

Les sorcières plantèrent des piquets près de leur tête et de leurs pieds. Puis, avec une étonnante dextérité, elles leur lièrent les jambes et les bras aux piquets à l'aide de fines cordelettes. Les deux hommes ne respiraient plus qu'à peine, mais la femme gémit quand la ficelle brutalement resserrée lui entama les poignets.

Les sorcières se disposèrent en ligne, face à leurs captifs, de sorte qu'elles regardaient à présent dans notre direction. Quand elles se prirent par la main pour entonner une incantation, l'idée que leurs pouvoirs combinés puissent percer notre manteau magique me mit les nerfs à fleur de peau.

Bien qu'étant moi-même assez douée pour les sorts de dissimulation, je n'osais pas ajouter les miens à ceux de Lizzie, même si j'en avais grande envie. Elle l'aurait pris pour une insulte.

Cependant, j'avais tort de m'inquiéter : sa magie se révéla tout à fait efficace. Le chant des sorcières se tut, et l'une d'elles quitta le rang. Au lieu de s'approcher des prisonniers comme je m'y attendais, elle se dirigea vers la cage en bois pour ouvrir la porte qui en fermait l'extrémité. Elle rejoignit alors ses compagnes boueuses.

J'observai la cage, fascinée. Pendant quelques instants, rien ne se passa. Puis une étrange bête apparut lentement par l'ouverture. On aurait dit un énorme insecte, progressant délicatement sur de hautes pattes grêles.

Quand je vis sortir de son museau aplati un long tube d'os, je frémis d'horreur. Je n'avais encore jamais rencontré ce genre de créature, mais j'en avais trouvé des représentations dans un des livres de Lizzie.

C'était un skelt.

L'espace d'un instant, je crus qu'il me regardait. Soudain, il émit un sifflement sourd et se tourna vers les trois captifs. Il sembla se déplier et, sur ses huit pattes aux multiples articulations, il galopa vers l'homme le plus proche.

Le malheureux hurla quand le tube osseux pénétra dans sa poitrine. Aussitôt, la dure tige translucide s'assombrit. Si je l'avais regardée à la lumière du jour plutôt que dans la faible clarté lunaire, je l'aurais vue virer au rouge vif. La créature aspirait le sang de sa victime à une vitesse hallucinante.

L'homme ne lâchait plus que des gémissements de plus en plus faibles. Quand le skelt retira sa trompe, il haleta sourdement et poussa un long soupir. Le dernier.

Le skelt porta alors son attention sur la proie suivante : la femme. Elle se cabra furieusement et tira sur ses liens avec des cris perçants. En vain. Le skelt fut sur elle en une seconde. Les cris de la malheureuse se muèrent en gargouillis, jusqu'à ce que, vidée de son sang, elle retombe inerte après un ultime sursaut.

Le troisième captif ne cria ni ne se débattit ; il se mit à prier à voix haute :

– Père, pardonne-leur ! Qu'ils voient leurs erreurs et se détournent de l'obscur ! Je t'offre ma douleur et ma mort. Qu'elles apaisent la souffrance des autres !

Sans doute était-ce un prêtre. Mais prêtre, fermier, aubergiste ou batelier, ça ne faisait aucune différence pour le prédateur, qui se jeta sur lui. L'homme tenta encore de parler, mais son corps se convulsa quand le skelt lui perça le cou. Quelques instants plus tard, il ne bougeait plus.

Le skelt recula lentement et pivota vers la rangée silencieuse des sorcières, qui le fixaient dans l'attente de je ne savais quoi.

Il n'allait tout de même pas les attaquer ? Quelle quantité de sang l'affreuse créature était-elle capable d'absorber ?

Or, ce ne fut pas le skelt qui attaqua.

Ce furent les sorcières.

Elles s'élancèrent, une lueur démente au fond des yeux.

12

Betsy Gratton

L'espace d'un battement de cœur, j'avais cru que nous étions leur cible. Je me trompais. Comme si elles obéissaient à un signal inaudible, les sorcières coururent vers le skelt, les crocs découverts, les griffes en avant, qui scintillaient à la lumière de la lune.

La créature tenta de se faufiler à travers cette horde pour gagner l'eau ; mais ses adversaires étaient trop nombreuses, trop véloces. Elles se jetèrent sur leur proie et la démembrèrent avec férocité. Une mare de sang se répandit sur le sol, celui du skelt mêlé à celui de ses trois victimes. Son corps, comme celui de certains insectes, s'articulait en deux segments, vite séparés par des mains griffues. Les pattes arrachées continuaient de tressauter horriblement.

Ces sorcières d'eau possédaient une force exceptionnelle, et je me demandais comment Lizzie oserait essayer de les convertir à notre cause. Sa magie serait inefficace contre des entités aussi féroces, qui n'avaient pratiquement rien d'humain. Qu'arriverait-il si elles se retournaient contre nous ?

Je les observais, effarée, révoltée, et pourtant incapable de détourner le regard. J'entendis alors un son bien reconnaissable : des chiens...

Les sorcières levèrent la tête, abandonnant leur festin. Non seulement les aboiements se rapprochaient, mais ils étaient accompagnés d'un martèlement de lourdes bottes.

– C'est Arkwright et ses molosses, me siffla Lizzie à l'oreille. Ils reviennent plus tôt que je ne m'y attendais. Surtout, petite, ne bouge pas et ne fais pas un bruit ! Le sort d'invisibilité nous cachera aux yeux de l'épouvanteur, mais le pire serait que les chiens flairent notre odeur. Avec un peu de chance, ils seront trop occupés à mettre en pièces nos sœurs de vase...

Quand les bêtes surgirent du brouillard, les dents luisantes, leurs gueules ouvertes dégoulinant de bave, la plupart des sorcières coururent vers l'eau. Elles plongèrent presque sans une éclaboussure et disparurent dans les profondeurs.

Cinq d'entre elles s'élancèrent à travers le marécage, sans doute dans le but de s'échapper par un
autre sentier. Mais la dernière partit trop tard.

Le premier chien referma les crocs sur sa cheville. Elle tomba à genoux, décocha un coup vicieux
à l'animal, cherchant à lui ouvrir le crâne de ses
longues griffes. Le deuxième chien bondit à son tour.
Il saisit dans sa gueule le poignet de la créature et se
mit à le secouer comme il l'aurait fait d'un rat.

Elle se débattit furieusement, essaya de ramper
vers l'eau. L'homme chauve sortit alors du brouillard. Grommelant un juron, il lui flanqua un coup
de bâton à l'arrière de la tête. Elle s'effondra, inerte.

– Bon travail, mes enfants ! s'exclama l'épouvanteur. Allez, on l'emmène ! On va la mettre à l'endroit
qui lui convient.

Obéissants, les chiens lâchèrent leur proie, et
Arkwright commença à la traîner par les jambes.

Ce spectacle tira à Lizzie un sourire qui me laissa
perplexe : cet épouvanteur était un ennemi. Nous
aurions pu être à la place de la créature, nos têtes
rebondissant sur le sol boueux !

Bientôt, l'homme, les chiens et la sorcière s'enfonçaient dans le brouillard.

Quand la rumeur de leur passage se fut effacée,
Lizzie m'adressa un rictus satisfait.

– Ma foi, les choses tournent mieux que je ne l'espérais.

– Je ne comprends pas. Ça contrarie tes plans, non ?

– Je t'expliquerai plus tard. Tiens-toi tranquille et tais-toi !

Piquée par la curiosité, je ne pus retenir une autre question :

– Pourquoi les sorcières ont-elles laissé le skelt s'abreuver du sang de leurs prisonniers avant elles ? Elles sont fortes, elles auraient pu mettre ces personnes en pièces à mains nues.

– Bien sûr qu'elles auraient pu, répliqua sèchement Lizzie.

Puis elle daigna m'éclairer :

– Ça fait partie de leur rituel. Boire un sang humain que le skelt a déjà aspiré triple le pouvoir de leur magie.

Une demi-heure plus tard environ, j'eus la désagréable surprise d'entendre des aboiements qui se rapprochaient.

– Ils ont dû nous flairer, fis-je, nerveuse. Fichons le camp !

– Ne bouge pas, petite ! S'ils ont flairé des odeurs, ce ne sont pas les nôtres. N'aie pas peur !

Comment Lizzie pouvait-elle être aussi sûre d'elle ? Les chiens surgirent à nouveau du brouillard, l'épouvanteur à la mine rébarbative sur leurs talons, et je crus qu'ils allaient fondre sur nous.

Mais les bêtes coururent vers la cage et la reniflèrent en décrivant tout autour des cercles de plus en plus larges. Puis elles s'élancèrent sur le chemin qu'avaient emprunté les fuyardes. Arkwright les suivit, son bâton à la main, une expression déterminée sur le visage.

Quand ils eurent enfin disparu, je chuchotai à Lizzie :

– Je n'aimerais pas rencontrer cet homme-là le soir au coin d'un bois !

– On ne peut pas mieux dire, petite ! Affronter un vieil épouvanteur comme Jacob Stone est une chose, faire face aux Arkwright de ce monde en est une autre ! Ce type est impitoyable, il n'abandonne jamais. Ses chiens sont capables de traquer une proie au cœur même des marécages ; avant l'aube, il aura capturé au moins une autre de nos sœurs de vase. Mais nous, pendant qu'il est occupé, on aura le temps de libérer la première !

Sur ces mots, Lizzie se leva et reprit le chemin du moulin. Arrivée devant le fossé, elle s'arrêta et me fixa d'un air dur.

– Tu sais ce que je veux ?

– Que je te transporte de l'autre côté.

– Alors, qu'est-ce que tu attends ? siffla-t-elle. Je ne devrais même pas avoir à te le demander !

Lizzie à califourchon sur mon dos, je traversai donc le fossé en pataugeant jusqu'au genou. Une fois sur l'autre rive, Lizzie s'avança à grands pas. Je m'attendais à la voir forcer une porte ou casser une vitre.

Au lieu de quoi, elle contourna la bâtisse délabrée et se dirigea vers la roue du moulin. En partie brisée, celle-ci ne semblait pas avoir tourné depuis des années, malgré le flot rapide qui courait en dessous.

Il y avait une porte étroite, derrière la roue. Mais, quand Lizzie la poussa, elle la trouva verrouillée.

– Toi, tu ne vas pas me résister longtemps, coassa-t-elle.

Elle marmonna une formule qui m'était inconnue avant de cracher dans la serrure. Puis elle tendit le cou pour écouter.

En vérité, elle n'avait pas besoin d'approcher son oreille sale aussi près. J'entendis les bruits à trois pas de distance : le grincement et le claquement d'un verrou. Avec un sourire triomphal, Lizzie tourna la poignée et ouvrit la porte.

À l'intérieur, un remugle de bois pourri et d'humidité me prit aux narines. Le sol était spongieux sous mes pieds. À notre gauche, j'apercevais dans la demi-obscurité la vaste courbe de la roue. Lizzie prit un bout de chandelle dans sa poche et l'alluma d'un mot. Puis elle s'avança dans sa lumière tremblotante.

Elle marchait lentement, précautionneusement – l'épouvanteur pouvait avoir installé des pièges pour se prémunir des intrus –, furetait de droite et de gauche. Enfin elle découvrit ce qu'elle cherchait.

Nous étions au bord d'une fosse carrée fermée par treize barres de fer. Lizzie abaissa sa chandelle pour en éclairer le fond. Elle était remplie d'eau, avec une plateforme de boue sur l'un des côtés, sur laquelle gisait la sorcière. Elle nous regardait, allongée sur le dos, ses yeux reflétant la flamme de la bougie.

J'avais toujours trouvé les sorcières de Pendle très laides ; celle-ci était carrément repoussante, avec ses énormes crocs protubérants. Je doutais de notre sécurité quand elle serait hors de son trou...

– Écoute-moi, ma sœur, dit Lizzie. On est là pour te libérer. En échange, j'ai une proposition à te faire, ainsi qu'à onze de tes congénères. Veux-tu nous conduire à ta gardienne afin que nous puissions en discuter ?

Je me demandai ce que Lizzie entendait par « gardienne », mais je n'osai pas poser la question.

La sorcière, qui s'était redressée sur les genoux, accepta d'un signe de tête.

Lizzie se tourna alors vers moi avec un sourire mielleux.

– Bien ! Je vais la faire sortir d'ici. On n'a pas le temps de rassembler des rats ou des mouches, et c'est une chance que nous ne soyons pas à Chipenden, devant une des fosses de John Gregory ! Là-bas, les barres de fer sont scellées dans la pierre, et, sans l'aide de la magie, il faudrait faire venir un forgeron pour les enlever. Ici, elles sont montées sur des gonds et simplement fermées par deux serrures. Sais-tu pourquoi Arkwright a rendu l'ouverture aussi facile ?

Je haussai les épaules ; je n'en avais aucune idée.

– Quand John Gregory enferme une sorcière dans une fosse, c'est dans l'intention de l'y garder jusqu'à la fin de ses jours. Les barres sont donc fixées définitivement. Ce n'est pas le cas avec Arkwright. Il se comporte comme un juge prononçant une sentence. Il garde la sorcière dans la fosse un an si sa victime est adulte, deux si c'est une enfant. Au terme de son emprisonnement, il la sort de là pour la tuer. Et, pour être sûr qu'elle ne revienne pas de la mort, il lui arrache le cœur, le coupe en deux et le donne à manger à ses chiens.

Voilà qui n'était pas pour me rassurer ! Que se passerait-il si ce redoutable épouvanteur abandonnait sa traque et rentrait plus tôt que prévu ? Je n'avais aucune envie de croupir au fond d'un trou puant en attendant la mort !

Lizzie cracha sur les serrures, qui s'ouvrirent avec un claquement sec. Il ne restait qu'à soulever le couvercle, mais il n'était pas question qu'elle y touche.

– À toi de jouer, petite ! Tu n'es pas encore sorcière, tu ne devrais pas sentir grand-chose. Vas-y !

Même si j'étudiais l'art de la sorcellerie, j'avais encore beaucoup à apprendre. Lizzie avait raison : le contact des barres de fer ne me brûla pas. Le problème était leur poids. J'eus beaucoup de mal à les relever assez haut pour que Lizzie, agenouillée au bord de la fosse, puisse tendre les mains à la prisonnière et la tirer de là.

Tous mes muscles tremblant sous l'effort, je réussis à retenir le couvercle. Dès que la sorcière d'eau se retrouva allongée près de nous, je le laissai retomber, et il se referma bruyamment.

Je reculai alors en hâte. La sorcière d'eau s'était accroupie, la bouche tordue par un rictus bestial, prête à nous sauter à la gorge. Elle paraissait plus assoiffée de sang qu'emplie de reconnaissance envers ses libératrices.

– Bien, fit Lizzie, nullement perturbée par l'attitude agressive de la créature. Filons d'ici avant qu'Arkwright ne revienne avec ses chiens ! Passe devant, ma sœur ! Conduis-nous en lieu sûr !

En réponse, la sorcière d'eau lui adressa une grimace qui dévoila ses longues dents jaunes et pointues. Trempée, maculée de boue, elle puait la vase et l'eau croupie. Elle s'ébranla d'un pas titubant d'ivrogne qui m'aurait fait rire si je n'avais pas eu aussi peur. Les sorcières d'eau ne sont pas dans leur élément sur la terre ferme.

Laissant le moulin derrière nous, nous suivîmes la sorcière. Elle prit la direction de l'est, ce qui me surprit : nous nous éloignions des marécages. Nous traversâmes le canal par le pont le plus proche avant de poursuivre à l'abri des haies.

Où allions-nous ? Et comment pouvions-nous espérer être en sécurité ? Dès que les chiens auraient flairé nos traces, ils nous pourchasseraient. Lizzie n'avait-elle pas dit qu'Arkwright était impitoyable et n'abandonnait jamais ?

Enfin, après deux bonnes heures à nous tordre les pieds dans les ornières, la sorcière s'arrêta à la lisière d'un champ et tendit le doigt. Apparemment, il n'y avait rien d'autre, au loin, qu'une autre haie. Néanmoins, je sentais une présence ; quelque chose d'invisible.

La sorcière émit des sons gutturaux, écœurants, tout en dessinant d'étranges signes dans les airs.

Il y eut un miroitement, et les contours d'un bâtiment apparurent. Un puissant sortilège de dissimulation, d'un genre que je ne connaissais pas, l'avait tenu caché. En approchant, je vis qu'il s'agissait d'une ancienne ferme, à présent à l'abandon. Pas de bêtes dans les champs, pas de chien de garde. L'obscurité enveloppait les lieux.

Puis, à la lumière de la lune, je distinguai un vaste étang à côté de la maison. Ordinairement, les mares – tout comme les tas de fumier – sont éloignées des habitations, pour éviter que les caves ne soient inondées. Or, celle-ci occupait une place inhabituelle. L'eau, qui paraissait profonde, léchait les murs de brique. Autre détail étrange : au milieu de ce qui aurait dû être la cour de ferme s'élevait une butte presque aussi haute que la maison. Bien que recouverte d'orties et d'herbes folles, elle ne semblait pas naturelle. D'où provenait une telle masse de terre ? Avait-elle été déposée là exprès ? Et par qui ?

Sans nous adresser un regard, la sorcière s'enfonça dans l'eau noire et disparut. Je commençais à craindre qu'elle ne soit allée chercher quelques-unes de ses semblables pour nous entraîner avec elles quand une lumière vacilla derrière une fenêtre de l'étage.

– Il doit y avoir une entrée sous l'eau, commenta Lizzie. La cave a été délibérément inondée. Mais nous, nous passerons par la porte.

Contournant la mare, elle gagna le devant de la maison. Au rez-de-chaussée, toutes les vitres étaient brisées et remplacées par des planches, si bien que nous ne pouvions jeter un œil à l'intérieur. La porte d'entrée, fermée, était si pourrie qu'un bon coup de pied aurait suffi à la défoncer. Nous n'eûmes cependant pas besoin de le faire : il y eut un cliquètement de chaînes, un claquement de verrous, et le battant tourna lentement sur ses gonds en criant.

Une femme corpulente, à la face bouffie, à la tignasse grise se tenait sur le seuil. Elle éleva la chandelle qu'elle tenait à la main pour nous examiner. Deux petits yeux de cochon qui brillaient sous des sourcils aussi longs que des moustaches de chat se posèrent sur nous. Ils étaient tout sauf aimables.

– Qu'est-ce que vous voulez ? demanda-t-elle sèchement.

– Nous avons délivré l'une des tiennes de la fosse, au moulin de l'épouvanteur, répondit Lizzie.

Si elle s'imaginait que cela suffirait, elle se trompait. Je n'aimais pas le regard de cette femme, il luisait de malveillance. Elle n'était pas sorcière ; pourtant, elle toisait Lizzie avec assurance. La chose n'était pas ordinaire. Ce devait être la « gardienne » à laquelle Lizzie avait fait allusion un peu plus tôt. Quel intérêt avait-elle à vivre ici, en compagnie de ces hideuses créatures ?

– Oui, je le sais. Ça ne me dit pas ce que vous voulez.

Lizzie se força à sourire.

– J'ai besoin de ton aide pour former un Conventus avec celles que tu gardes. Juste pour une fois, et pour une affaire très spéciale. Elles y gagneront du sang, beaucoup de sang. Et du pouvoir. Qu'en penses-tu ?

– Comment t'appelles-tu ? Et d'où viens-tu ?

– Je me nomme Lizzie l'Osseuse et je suis de Pendle.

– Il n'y a guère d'affinités entre les sorcières de Pendle et celles que je garde ici, répliqua la femme. Il y a eu des histoires, autrefois. Des morts des deux côtés.

– Le passé est le passé. Ni moi ni cette fille ne te causerons d'ennuis. Ce que je viens te proposer sera tout bénéfice pour toi comme pour moi. Me permets-tu d'entrer pour t'en parler ? Et me diras-tu à qui j'ai l'honneur de m'adresser ?

Je crus que la femme allait nous fermer la porte au nez. Mais elle hocha la tête.

– Je m'appelle Betsy Gratton, et je t'accorde cinq minutes.

Sur ces mots, elle s'écarta, et je suivis Lizzie à l'intérieur.

Betsy nous conduisit à la cuisine, une pièce sale où de grosses mouches bleues bourdonnaient au-dessus des ordures. Ouvrant une petite porte sur le côté, elle s'engagea dans un escalier de pierre étroit et raide. La lumière de sa chandelle projetait des ombres grotesques sur les murs. Quand nous arrivâmes dans la cave, je regardai autour de moi, stupéfaite.

Elle était immense – couvrant au moins quatre fois la surface de la maison. Une énorme excavation avait été creusée sous le bâtiment – ce qui expliquait la montagne de terre à l'extérieur.

La moitié de la cave était une fosse emplie d'eau, et sur un vaste terre-plein se dressaient plusieurs tables et une bonne vingtaine de tabourets. Quatre cages tubulaires étaient posées dans un coin. Deux d'entre elles étaient occupées.

Les créatures qui y étaient enfermées posèrent sur nous des yeux avides, et leur long tube osseux jaillit entre les barreaux d'osier, vibrant de plaisir anticipé.

Betsy s'assit sur un tabouret, nous invita d'un geste à l'imiter et fixa Lizzie d'un air entendu.

– Bon, fit-elle enfin. Que proposes-tu ?

Bien que cette femme ne soit pas sorcière, il émanait d'elle une aura redoutable. C'était la personne la plus horrible que j'aie jamais rencontrée, ce qui n'est pas peu dire quand on vient de Pendle comme moi.

– Fais d'abord venir douze sœurs, déclara Lizzie. Je les mettrai au courant pendant que tu me traduiras ce qu'elles diront.

Betsy Gratton secoua la tête.

– Tu ne comprends pas bien la situation. La plupart ne sont pas très malignes. Elles m'écoutent et m'obéissent. Elles sont les griffes et les dents, je suis le cerveau.

Avec un sourire torve, elle poursuivit :

– Alors, ne me fais pas perdre mon temps et explique-moi ce qui t'amène ! Et sache qu'on ne berne pas la vieille Betsy !

Lizzie, rouge de colère, se mit à marmonner entre ses dents.

– Ne gaspille pas tes sortilèges contre moi, gronda la grosse femme. Je n'use pas moi-même de magie, mais les sœurs me protègent. Tes formules n'auront aucun effet sur moi. Je n'ai qu'à siffler, et vingt ou trente de celles que je garde surgiront du puits. Elles te mettront en pièces, toi et la fille. D'ailleurs, j'ai bien envie de le faire tout de suite.

Elle se leva, et j'eus un sursaut de terreur.

Mais Lizzie l'arrêta :

– Non ! Écoute-moi... !

Sa voix étrangement douce apaisa aussitôt la gardienne.

– Tu nous as dit la vérité ; je vois que tu as autorité ici. Maintenant, laisse-moi te montrer quelque chose...

Sortant l'œuf de sa poche, Lizzie ôta lentement le tissu qui l'enveloppait et le montra à Betsy.

– Cet objet contient une énorme quantité de pouvoir, expliqua-t-elle, les yeux brillants. Je l'ai volé à un épouvanteur. Et un Conventus peut obtenir ce pouvoir pour son propre usage. J'offre de le partager avec celles que tu gardes.

Betsy observa froidement Lizzie, ses petits yeux de cochon enfoncés dans sa face bouffie.

– Pourquoi ne pas le partager avec celles de ton clan à Pendle ?

– J'ai eu des problèmes avec mes sœurs de là-bas, mentit Lizzie. Elles ont failli envoyer la tueuse des Malkin à mes trousses. Mieux vaut que je me fasse oublier le temps que les choses se tassent. C'est pourquoi j'ai recours à toi.

– Si Grimalkin te poursuit, alors tu es déjà morte...

La voix de Betsy s'adoucit à son tour :

– Eh bien, dis-moi : que faut-il faire pour obtenir ce pouvoir ?

– Dans trois nuits, ce sera la pleine lune, le moment favorable. Sept enfants devront être sacrifiés, et leur sang répandu sur l'œuf. Alors, il accordera son pouvoir au Conventus ayant accompli ce rituel. Chacun de ses membres n'aura qu'à émettre un souhait, il sera exaucé avant sept jours.

Pas de doute, Lizzie avait l'art d'arranger la vérité ! Je me rappelai exactement ce que l'œuf avait dit par la voix de l'ermite.

Donne-moi le sang du cœur de sept enfants humains, une nuit de pleine lune. Rassemble treize sorcières pour accomplir cette action, et celle qui possède l'œuf recevra ce que son cœur désire : plus de pouvoir qu'elle en a jamais rêvé...

Ce serait Lizzie qui tiendrait l'œuf, et elle seule verrait son souhait s'accomplir. Les autres seraient dupées. Et pour cela sept enfants seraient assassinés.

13

Un acte horrible

Je savais que Lizzie n'hésiterait pas à tuer des enfants. Mais, si je protestais, ce serait mes os qu'elle prendrait. Elle n'avait pas besoin de mettre les points sur les *i*. Sept enfants allaient payer de leur vie le pouvoir qu'elle attendait de cet horrible œuf de cuir. Et, cette fois, elle ferait de moi sa complice. Pouvais-je imaginer pire situation ?

Je serais aussi coupable qu'elle.

Comment en étais-je arrivée là, moi qui n'avais aucun désir de devenir sorcière ?

Je me souvenais de la nuit où Lizzie était venue me chercher pour m'emmener chez elle. J'étais bouleversée. Mais je n'avais pas pleuré. Mon père et ma mère étaient en terre depuis trois jours, et je n'avais pas pleuré non plus – j'avais pourtant essayé ! Même s'ils se chamaillaient comme chien et chat et me flanquaient des taloches à me décrocher la tête, ils avaient eu leurs bons moments. J'aurais dû avoir du chagrin, non ? Quand on a vu mourir père et mère, on devrait être capable d'écraser au moins une larme.

J'avais découvert tout récemment qu'ils n'étaient pas mes vrais parents. Pire encore, ils avaient été assassinés par Lizzie. Elle leur avait lancé un sort qui leur avait fait bouillir le sang dans les veines, si bien qu'ils semblaient avoir été emportés par un accès de fièvre. Elle avait agi ainsi dans le seul but de s'emparer de moi pour m'enseigner l'art de la magie noire.

J'avais une tante, Agnès Sowerbutts, qui était bonne pour moi et m'avait recueillie. Mais Lizzie me voulait. La nuit où elle vint me chercher, une forte tempête se leva. Des éclairs fourchus déchiraient le ciel ; les coups de tonnerre ébranlaient les murs du cottage, et les casseroles accrochées dans la cuisine s'entrechoquaient bruyamment. Ce n'était rien comparé au vacarme que produisit Lizzie.

Toute la journée, j'avais été sur les nerfs, à guetter son arrivée. Agnès avait vu par scrutation qu'elle ne se présenterait qu'à la nuit, son heure préférée. Elle tambourina enfin contre la porte avec une violence à réveiller un mort. Dès qu'Agnès eut soulevé le loquet, l'Osseuse fit irruption dans la pièce, ses cheveux noirs collés par la pluie. L'eau qui dégoulinait de sa cape inondait les dalles de pierre. Agnès fut terrifiée. Néanmoins, elle s'interposa bravement entre Lizzie et moi. Moi, j'avais si peur que mes genoux s'entrechoquaient.

– Laisse la petite tranquille, déclara Agnès avec fermeté. Cette maison est la sienne, à présent. Je veillerai bien sur elle, ne t'inquiète pas.

Pour toute réponse, Lizzie ricana. On dit qu'il y a entre nous un air de famille, mais je n'aurais jamais su imiter le rictus qui lui tordit le visage, cette nuit-là. C'était une grimace à faire tourner le lait et miauler les chats comme si le Malin en personne les tirait par la queue.

Je m'étais toujours arrangée pour me tenir hors de portée de ma tante Lizzie. Je ne l'avais pas vue depuis un an, et elle me paraissait plus effrayante que jamais. Nous avions appris la veille qu'elle voulait me prendre chez elle. Agnès aurait dû me conduire jusqu'à sa maison, mais je l'avais suppliée de n'en rien faire, et elle avait envoyé un mot pour lui signifier son refus. Nous nous doutions l'une et l'autre que l'affaire n'en resterait pas là.

J'ignorais alors qu'elle avait décidé de me former à la sorcellerie. Ce fut un vrai choc : c'était bien la dernière chose que je désirais. Cependant, j'avais si peur que je n'émis aucune protestation.

– Alice ne deviendra pas une sorcière dans ton genre, rétorqua Agnès. Ses parents n'avaient rien à voir avec la sorcellerie, pourquoi devrait-elle suivre tes traces maudites ? Laisse-la ! Laisse la petite chez moi et occupe-toi de tes affaires !

– Le même sang noir coule dans nos veines et cela suffit, siffla Lizzie avec colère. Ce n'est pas à toi de l'élever, tu n'es qu'une étrangère.

C'était faux. Agnès était une Deane. Elle avait épousé un brave homme de Whalley, un chaudronnier. À la mort de son mari, elle était revenue à Roughlee, le village où vivait le clan des Deane.

– Je suis sa tante et je lui servirai désormais de mère, objecta-t-elle.

Elle s'exprimait avec audace, mais elle était affreusement pâle. Et je voyais trembler son menton grassouillet.

Je m'étais réfugiée au fond de la cuisine, dans l'espoir de gagner la porte de derrière et me faufiler au-dehors. Je savais que leur affrontement ne durerait pas longtemps. Je savais qui l'emporterait.

Lizzie frappa du pied. Rien de plus. Aussitôt, le feu mourut dans l'âtre, la flamme des chandelles vacilla et s'éteignit. Un froid terrifiant envahit la pièce, plongée dans le noir. Agnès poussa un cri d'effroi.

Je criai moi aussi ; j'aurais tenté n'importe quoi pour sortir de là : sauter par la fenêtre, escalader le conduit de cheminée. M'enfuir, c'était tout ce que j'avais en tête. Seulement, je ne pouvais pas bouger un muscle, j'étais paralysée de peur.

Je sortis, en fin de compte, mais au côté de Lizzie. Elle avait refermé ses doigts sur mon poignet et m'avait tirée dehors. Résister n'aurait servi à rien. Elle était trop forte et me tenait trop serré ; ses ongles m'entamaient la peau. Je lui appartenais, désormais ; je ne lui échapperais plus. Cette même nuit, elle entama mon éducation de sorcière. Ce fut le commencement de tous mes ennuis.

C'est ainsi qu'avait débuté ma vie avec Lizzie, et ma formation s'était révélée dure et pénible. Avec le meurtre des sept enfants, j'allais poser le pied sur la première marche menant à l'état de pernicieuse. Si je me rendais complice de ce forfait, je ne pourrais plus revenir en arrière.

Introduisant deux doigts dans sa bouche, Betsy émit un sifflement à vous transpercer les tympans. Quelque chose jaillit hors de l'eau et atterrit sur le sol mouillé. De la vase dégoulina sur le sol, et je reculai d'un pas.

C'était une sorcière d'eau, vêtue de haillons couverts d'algues vertes et brunes, la tignasse emmêlée, la face maculée de boue. Je remarquai alors qu'elle avait non seulement des griffes redoutables, mais aussi des pieds palmés, terminés par un ergot acéré, qui devaient la propulser à grande vitesse entre les eaux. Ses quatre membres étaient de véritables machines à tuer.

Betsy Gratton se mit à lui parler dans son langage, fait de grognements et d'autres sons insolites, entre un aboiement et un miaulement de chat qui s'étrangle. Je reconnus cependant quelques mots : « sang » et « skelt », prononcés à plusieurs reprises, ce qui n'avait rien d'étonnant dans une conversation entre cette créature et sa gardienne.

J'entendis également le nom « Arkwright », ce qui ne me surprit pas davantage. L'épouvanteur local représentait une menace constante pour les sorcières d'eau. Il les traquait avec ses chiens intrépides et les éloignait des ruines du monastère, leur séjour de prédilection.

S'il découvrait l'existence de cette ferme, il mettrait fin aux agissements de la gardienne et disperserait les sorcières, rendant impossible leur activité en tant que Conventus. Elles devaient user d'une magie très puissante pour dissimuler la maison et empêcher les chiens de flairer leur odeur. Combien de temps tiendraient-elles ainsi ? L'emploi de la magie est épuisant ; il exige une grande consommation de sang.

En réponse à un long monologue de Betsy, la sorcière d'eau poussa un simple grognement avant de replonger sans presque une éclaboussure. Elle nous avait à peine accordé un regard.

Quand elle eut disparu, la gardienne se tourna de nouveau vers Lizzie.

– Ce sera fait. Mais, pour commencer, il nous faut des enfants. Mieux vaut en rassembler plus de sept. Un excédent est toujours utile – les skelts sont friands de jeune sang savoureux. On les prendra à l'est, loin du territoire de l'épouvanteur. Nous te fournirons douze bambins. Telle sera notre contribution. Tu devras nous procurer un treizième. C'est un marché honnête, non ?

Je frémis en entendant Lizzie acquiescer :

– Il est honnête. J'apporterai ma part.

– En ce cas, sois ici avec ta victime la nuit précédant la pleine lune. Mais d'abord je vais vous offrir à souper. Rien de tel qu'un bon repas pour conclure une affaire !

L'idée de manger quoi que ce soit préparé dans sa cuisine répugnante me soulevait le cœur. Malheureusement, je ne voyais pas comment y échapper.

– Gratton est mon nom, et les grattons sont ce que j'aime par-dessus tout ! gloussa Betsy comme si cette réflexion était des plus comiques.

De retour dans la cuisine, elle nous invita à nous asseoir devant sa table crasseuse, sur laquelle elle disposa des assiettes.

Elle fit cuire les grattons, qui étaient fort appétissants. Malheureusement, dès la première bouchée, je fus prise d'une quinte de toux. Ces petits morceaux de lard confit sont toujours salés, mais ceux-ci étaient presque immangeables.

Lizzie grignotait du bout des dents, s'efforçant de dissimuler sa répugnance. Et je la surpris à cracher sous la table quand Betsy avait le dos tourné. Les sorcières ont une véritable aversion pour le sel, même dans les aliments. Betsy le savait fort bien et s'amusait du malaise de son invitée. Elle avait posé un pot de sel sur la table et y plongeait les doigts avant de les lécher avec délice.

Au bout d'un moment, Lizzie commenta avec un sourire rusé :

– Tu sembles aimer les mets bien salés, Betsy.

– En effet ! Certains m'appellent même Betsy la Saleuse !

Elles rirent et plaisantèrent un moment à ce propos. Puis Betsy retrouva son sérieux.

– Les sœurs de vase sont imprévisibles, surtout quand elles sont en manque de sang. Comme je n'ai moi-même aucun pouvoir magique, le sel me permet de les tenir à distance. Ça les décourage. C'est pourquoi j'en consomme de telles quantités. J'en répands aussi sur mes cheveux. Ça marche.

Avec ce repas, le marché fut conclu. Alors, la bouche encore pleine de grattons trop salés de Betsy, je sortis avec Lizzie dans l'air frais de la nuit.

Elle leva la tête vers la lune et les étoiles pâles, puis tourna lentement sur elle-même, balayant du regard la maison, les arbres proches et le paysage environnant.

– Je fixe ces lieux dans ma tête, fit-elle avec un sourire rusé. Je ne voudrais pas leur fournir un mouflet et ne plus savoir où le retrouver.

Nous n'avions pas fait cinquante pas que la vieille ferme, la mare et l'énorme butte de terre avaient disparu, dissimulées de nouveau par magie.

Nous parcourûmes une dizaine de milles avant de nous installer, l'aube venue, à l'abri d'un taillis. Nous n'étions plus très loin d'un village, dont les lumières révélaient deux ou trois domaines où les fermiers vaquaient déjà à leurs tâches matinales.

– J'ai faim, me lança sèchement Lizzie. Rapporte-nous quelques lapins !

J'avais faim moi aussi, puisque je n'avais pu avaler plus d'une bouchée des grattons de Betsy. J'attrapai donc deux lapins, que je dépouillai, vidai et fis rôtir sur le plus petit feu que je pus allumer pour éviter que la fumée trahisse notre présence. Il n'en restait que des braises quand le soleil se leva à l'horizon.

L'estomac plein, nous nous installâmes pour dormir. Lizzie, allongée sur le dos, bouche ouverte, se mit aussitôt à ronfler. Elle marmonnait parfois, et un sourire lui étirait les lèvres.

Sans doute rêvait-elle du plan astucieux qu'elle avait conçu pour berner les sorcières d'eau et leur gardienne, et du pouvoir que lui apporterait l'œuf de cuir.

Moi, malgré tous mes efforts, je ne réussis pas à trouver le sommeil. Je ne cessai de repasser dans ma tête les évènements de ces derniers jours. Dès la nuit tombée, Lizzie jetterait son dévolu sur une des maisons du village et y volerait un enfant. Le gamin mourrait, soit qu'il serve au rituel, soit qu'il soit jeté en pâture à un skelt.

Et je serais une meurtrière.

Lizzie dormit jusqu'au coucher du soleil. Quand le jour commença à baisser, elle s'assit, s'étira, bâilla et cracha dans les cendres froides.

– Eh bien, petite, allons-y! fit-elle en sautant sur ses pieds.

Je la suivis hors des taillis. Progressant à l'abri d'une haie, nous avançâmes vers la ferme la plus proche.

Puis Lizzie s'arrêta et renifla trois fois.

– Aucun intérêt! Pas de jeunes os, ici; rien qu'un vieux fermier maigrichon et sa truie puante de femme! Et ils ont de gros chiens de garde.

Au même instant, des aboiements retentirent, et Lizzie s'éloigna en hâte.

Nous gagnâmes le village par un chemin de traverse. Il faisait tout à fait nuit, à présent, la lune n'était pas encore levée. Mais de la lumière brillait à l'étage d'une des maisons. Comme elle était un peu à l'écart, c'est vers elle que Lizzie se dirigea.

Cette fois, après avoir reniflé, elle émit un caquètement satisfait:

– Rien qu'une bonne femme avec sa gamine! Et pas de chien! On ne pouvait pas mieux tomber!

Comme elle se dirigeait vers la porte, la lumière s'éteignit derrière la fenêtre. J'aperçus alors la silhouette d'un chat sur les marches.

La pauvre bête commit deux erreurs. D'abord, elle feula, ce qui n'était pas une chose à faire. Et, quand Lizzie voulut la chasser d'un revers de main, elle lui entailla la peau d'un coup de griffes.

Plus rapide qu'un serpent, Lizzie attrapa l'animal à deux mains et le tordit violemment. Il y eut un claquement sec, tel celui d'une branche qui se brise sous les pieds. Lizzie jeta le petit corps inerte dans une touffe d'orties. Puis elle se pencha pour cracher sur la serrure, qui cliqueta aussitôt.

Lizzie poussa le battant et entra dans la maison.

– Attends-moi au bas des escaliers ! me souffla-t-elle. Et ne laisse sortir personne !

J'acquiesçai, le cœur battant la chamade. Je regardai Lizzie grimper lentement vers la chambre et disparaître dans l'obscurité. Je l'entendis ouvrir une porte.

L'instant d'après, un hurlement s'éleva, bientôt suivi d'appels désespérés :

– Maman ! Maman ! Il y a une méchante dame dans ma chambre ! Elle veut m'emporter ! Maman !

Comme je comprenais la terreur de la fillette, aux prises avec une sorcière au beau milieu de la nuit ! J'aurais voulu courir à son secours, et j'étais impuissante.

Une autre porte s'ouvrit, des pas sonnèrent sur le plancher. La mère, alertée, se précipitait vers la chambre de sa fille. Mais elle n'avait aucune chance contre une créature comme Lizzie l'Osseuse.

Un cri horrible retentit – une voix de femme, cette fois – suivi d'un choc sourd.

– Qu'est-ce que tu as fait à ma maman ? brailla la petite. Maman ! Oh, maman !

Lizzie avait tué la mère ! Sous les yeux de sa fille ! Une nausée me souleva l'estomac.

14

Filer tout de suite!

— Je te ferai la même chose si tu ne fermes pas ton
foutu clapet! menaça Lizzie.
Et elle dévala l'escalier.

Elle passa devant moi, tenant sous son bras la
fillette secouée de sanglots déchirants. C'était une
gamine maigrichonne, qui n'avait pas plus de six ans.

D'un coup, la colère me prit. Je courus derrière
Lizzie, la saisis par le bras et l'obligeai à s'arrêter.

– Tu n'avais pas besoin de tuer la mère! Les choses
sont déjà assez moches comme ça, tu ne crois pas?

Lizzie me jeta un regard furieux. Si elle avait eu les
mains libres, elle m'aurait giflée. Ma propre audace
me faisait trembler de frayeur: j'avais osé lui lancer

des reproches à la figure ! Nous nous étions parfois disputées, mais je ne m'étais jamais opposée à elle aussi vertement.

– Mêle-toi de tes affaires, petite ! aboya-t-elle. La mère n'est pas morte, je lui ai lancé un simple sort d'*endormissement*. À moins qu'elle ne se soit brisée le cou en tombant, ça lui apprendra à être aussi grasse !

Sur ces mots, elle se dégagea et repartit à grands pas, la gamine en pleurs coincée sous son bras.

Je désirais vraiment venir en aide à cette petite fille. Si Lizzie s'arrêtait pour dormir, j'aurais peut-être une chance d'intervenir – ce que je risquais de payer très cher, car sa magie était redoutable. De toute façon, elle ne prendrait aucun repos avant d'avoir regagné le repaire des sorcières d'eau. Bâtir des hypothèses ne servait donc à rien.

Il y aurait un beau tollé, dans le village, au matin, si la mère s'était remise des effets de l'endormissement ! Au cas où elle se serait cassé le cou, des heures – peut-être même des jours – s'écouleraient avant que les voisins ne découvrent son corps et constatent la disparition de la fillette.

Cela dit, les sorcières étaient en train d'enlever d'autres enfants, et on ne tarderait pas à traquer les ravisseurs. Tout homme en âge de tenir une arme se mettrait en chasse. Et, même si le moulin était loin, Arkwright, l'épouvanteur, serait vite averti.

Il fouillerait tout le secteur. Je savais que Lizzie cherchait à atteindre le plus vite possible le refuge dissimulé par magie.

Nous y parvînmes bien avant l'aube, et le camouflage était toujours aussi parfait. Lizzie renifla, jura. Elle étudia la position des étoiles et les détails du paysage pendant une bonne heure, de plus en plus énervée. J'espérais qu'elle me confierait l'enfant – j'aurais pu faire mine de trébucher et lui donner une chance de s'échapper. Mais Lizzie ne lâchait pas sa proie. Finalement, revenant sur ses pas, elle retrouva le bon endroit ; l'air miroita et la maison apparut.

Betsy nous accueillit sur le seuil. Grimaçant un sourire, elle nous invita à entrer. Tandis que nous la suivions dans l'escalier de la cave, j'entendis les plaintes déchirantes de plusieurs enfants, une cacophonie de cris de détresse.

Le spectacle qui s'offrit à nous me serra le cœur. Une dizaine de cages – conçues pour enfermer des enfants et non des skelts – étaient alignées dans ce sous-sol lugubre. Quatre d'entre elles étaient occupées. L'un des petits prisonniers semblait endormi ou inconscient. Les trois autres hurlaient de terreur. Tous étaient couverts de vase, et l'un d'eux, un garçonnet à qui il manquait deux dents, était trempé.

Quant aux skelts, il y en avait six, à présent ; ils fixaient avidement leurs futures proies en se tortillant.

– Donne-la-moi ! ordonna Betsy Gratton.

Lizzie obéit sans protester.

La grosse femme tint la fillette hoquetante à bout de bras.

– Maigriotte, mais c'est mieux que rien. Il va falloir l'engraisser un peu.

Elle la jeta dans une cage dont elle ferma le loquet.

– Nous n'avons que cinq enfants sur sept, fit remarquer Lizzie. Pour ma part, j'ai rempli les conditions de notre marché.

– C'est juste, approuva Betsy. Mais sois sans crainte. La nuit prochaine, mes filles se rendront en un lieu où elles n'auront qu'à se servir : un orphelinat dirigé par de vieilles femmes faméliques. Nous disposerons bientôt de plus de gamins que nécessaire.

Les deux jours suivants furent un vrai cauchemar. Lizzie et Betsy s'entendaient comme larrons en foire et caquetaient dans la pièce du haut en buvant du vin. Pendant ce temps, je devais effectuer toutes les corvées, la pire étant de surveiller les enfants enlevés, dont le nombre s'élevait maintenant à treize.

Je ne voulais pas les regarder, je ne voulais pas voir leur détresse... Il fallait pourtant que quelqu'un les nourrisse et les maintienne en vie jusqu'à la pleine lune. Lizzie attendait de moi que je glisse du pain rassis entre les barreaux et que je verse de l'eau dans chaque petite bouche.

Comme je ne supportais pas de les laisser assis dans leurs propres déjections, je les sortais de leur cage l'un après l'autre le temps de la nettoyer.

Une nuit, Lizzie me surprit à demander son nom à une fillette. J'essayais seulement de me montrer amicale pour la réconforter un peu. Mais Lizzie se moqua de moi.

– Quelle sotte tu fais, petite, me siffla-t-elle à l'oreille, en adressant à la gamine un sourire trompeur. À quoi te sert de connaître leur nom ? Ils seront bientôt morts ! Révise plutôt tes formules !

Néanmoins, une fois Lizzie partie, je continuai. Je laissai également les enfants se dégourdir les jambes quelques minutes de temps en temps. La plupart sanglotaient et reniflaient en jetant des regards épouvantés vers les cages des skelts.

Le dernier soir avant le sacrifice, je débarbouillais la fillette que Lizzie avait enlevée.

Elle ne cessait de répéter :

– Maman est morte. Elle l'a tuée. Elle l'a frappée et elle l'a tuée !

Ses plaintes me brisaient le cœur.

– Elle n'est pas morte, lui assurai-je d'une voix aussi douce que possible. Ce n'était qu'un sortilège pour l'endormir. Elle est réveillée, maintenant. Ne t'inquiète pas, ta maman va bien.

– Sa tête a cogné très fort quand elle est tombée. Du sang a coulé de son oreille, je l'ai vu.

– Elle va se remettre. Elle est forte, ta maman. Ce n'est pas un choc à la tête qui suffira à la tuer, insistai-je en lui prenant les mains.

En dépit de ces paroles réconfortantes, je commençais à me demander si la mère n'était pas vraiment morte. Je n'aimais pas cette histoire de sang lui coulant de l'oreille.

Un jour, à Pendle, j'avais vu un gamin grimper en haut d'un arbre, encouragé par ses copains. Une branche trop fine avait craqué sous son poids, il était tombé et sa tête avait heurté une pierre. Il saignait des deux oreilles et n'avait pas repris connaissance. On l'avait transporté chez lui, et il était mort peu de temps après.

– Mais si maman s'est fait très mal et ne peut plus marcher ? Elle mourra de soif ! Elle est peut-être en train de mourir !

Là-dessus, la petite m'échappa et courut vers l'escalier. Je la rattrapai avant qu'elle ait atteint la première marche. Heureusement, sinon, qu'est-ce que j'aurais pris ! Je la ramenai dans sa cage, hurlant et se débattant, et verrouillai la porte.

– Comment t'appelles-tu ? demandai-je encore une fois, quand elle se fut calmée.

– Emily, répondit-elle en reniflant. Emily Jenk.

– Eh bien, Emily, tu n'as pas à t'inquiéter. Ta maman va bien.

– Et je la reverrai ?

– Tu la reverras.

– Ce serait peut-être mieux qu'elle soit morte...

– Pourquoi tu dis ça ?

– Parce que, alors, je la reverrai. Quand on sera mortes toutes les deux...

– Tu dis des bêtises ! Tu n'es qu'une enfant. Tu ne mourras pas avant très longtemps, mentis-je.

– Ce n'est pas ce que la grosse dame a dit. Elle a dit qu'elle nous donnerait à ces affreuses bêtes, cria Emily en désignant la cage la plus proche.

Son occupant nous observait avec un intérêt évident.

– Elle a dit qu'il planterait son long museau pointu dans notre cou et qu'il boirait notre sang jusqu'à ce que notre cœur s'arrête de battre, poursuivit la fillette.

En l'entendant, les autres enfants se remirent à pleurer. J'étais atterrée. Ils avaient déjà bien assez peur. Pourquoi les terrifier encore davantage en leur révélant l'horrible sort qui les attendait ? Quelle sorte de monstre était donc cette Betsy Gratton ?

D'une certaine manière, elle était pire que les créatures qu'elle dirigeait. Sans elle, les tueries des sorcières d'eau auraient été plus rares et plus aléatoires. Certes, cette fois, Lizzie en était l'instigatrice, dans son désir de s'approprier le pouvoir de l'œuf de cuir.

Espérant que l'une des deux jacasseuses, à l'étage, n'aurait pas soudain la lubie de rendre visite aux petits prisonniers, j'assurai :

— Mais non ! Elle s'amuse seulement à vous effrayer.

— Alors, pourquoi on m'a enlevée à ma maman pour m'amener ici ? cria Emily. Et ces affreuses bêtes, pourquoi elles nous regardent comme ça ? Elles ont faim ! Elles veulent notre sang !

— Ne t'inquiète pas. Elles ne te prendront pas ton sang.

J'étais vraiment aussi coupable que Lizzie !

— Si ! La grosse dame l'a dit !

— Ce n'est pas vrai. Je l'en empêcherai.

— Tu n'es qu'une fille. Qu'est-ce que tu peux faire ? Les sorcières sont féroces, elles ont de longues griffes et de longues dents ; et il y en a tellement, tellement !

Je réfléchis un moment avant de répondre. Jusqu'alors, j'essayais seulement de donner un peu d'espoir à la fillette en me montrant amicale et rassurante. Puis les mots sortirent d'eux-mêmes, comme s'ils étaient prononcés par quelqu'un d'autre :

– Je suis Alice, et je ne les laisserai pas te faire du mal. Je peux les en empêcher. Je le peux et je le veux.

J'avais dû parler avec beaucoup de conviction, car la fillette écarquilla les yeux et resta bouche bée. Pour la première fois, elle parut apaisée.

Après avoir achevé mes tâches dans la cave, je remontai au rez-de-chaussée. J'entendais Lizzie et Betsy papoter en riant à l'étage. Incapable de supporter leur présence, je sortis dans la cour et contemplai la mare un long moment, plongée dans mes réflexions.

Quelle folle j'étais de m'être prétendue capable de protéger la fillette ! Qu'est-ce que je pouvais faire ?

Rien ! Rien du tout !

Non... ce n'était pas tout à fait exact. Dans quelques heures, les enfants seraient morts, mais je pouvais encore partir en courant loin de cet horrible endroit. Ainsi, je ne serais plus là quand ils seraient tués. Ainsi, je ne serais pas une meurtrière.

Mieux encore, j'échapperais à Lizzie. Et je ne deviendrais pas sorcière.

Cependant, ne mettrait-elle pas tout en œuvre pour me reprendre ? Elle avait su que j'étais chez Agnès Sowerbutts. Et Agnès n'avait pas été assez forte contre une pernicieuse comme Lizzie !

Mais, cette fois, je pouvais m'enfuir loin de Pendle, en un lieu qu'elle ne connaîtrait pas. Même si elle tentait de me localiser par scrutation, elle serait trop occupée à acquérir le pouvoir de l'œuf de cuir pour s'inquiéter de moi.

Pourquoi perdre du temps ? Je devais filer tout de suite !

15

Elizabeth des Ossements

Sans un regard en arrière, je quittai la cour et marchai vers le canal. J'avais l'intention de descendre vers le sud en évitant Pendle, de franchir les frontières du Comté, et de continuer jusque là où, disait-on, il faisait chaud et il ne pleuvait pas. Ce serait si bon de sentir le soleil sur mon visage ! Je détestais ce climat humide et venteux.

Le jour baissait. De gros nuages gris accouraient de l'ouest, chargés de pluie.

Je ne ressentais aucune allégresse à l'idée de quitter mon ancienne vie pour toujours. L'image des enfants terrifiés dans leurs cages me poursuivait. Sept d'entre eux seraient sacrifiés pour que le pouvoir de l'œuf soit libéré ; les autres serviraient de pâture aux abominables skelts.

J'avais beau m'éloigner, mon cœur pesait dans ma poitrine comme un morceau de plomb. Même si je me trouvais à des milles de là quand les petites victimes mourraient, ne serais-je pas pour autant une criminelle ?

On peut se sentir coupable à cause de ce qu'on a fait. Et tout aussi coupable à cause de ce qu'on *n'a pas* fait. Si je n'aidais pas ces enfants d'une manière ou d'une autre, cette faute pèserait sur moi pour le reste de mes jours.

Une idée soudaine me traversa l'esprit : aller trouver Arkwright, l'épouvanteur, pour lui demander son aide.

Certes, peut-être me prendrait-il pour une sorcière et me jetterait-il au fond d'un trou – en supposant qu'il ne me tue pas sur-le-champ ! C'était tout de même un risque à courir.

Je saurais le persuader du danger qui menaçait les enfants, et j'étais la seule capable de lui faire franchir le rideau magique dissimulant la maison... Après quoi, je n'aurais qu'à m'esquiver pendant qu'il réglerait leur compte aux sorcières et à cette grosse truie de Betsy la Saleuse ! Lizzie s'échapperait, j'en étais sûre ; elle était futée et elle avait plus de vies qu'un chat.

Oui, voilà ce que je devais faire. Je pressai donc le pas. Quand j'aurais atteint le canal, le moulin ne serait plus très loin.

C'est alors que la pluie se mit à tomber, un de ces déluges qui vous trempent jusqu'aux os en un rien de temps. Un éclair fourchu déchira le ciel, suivi presque aussitôt par un violent coup de tonnerre juste au-dessus de ma tête. Ça me rappelait la terrible tempête, la nuit où Lizzie m'avait arrachée à la maison d'Agnès Sowerbutts.

J'ai toujours eu peur d'être frappée par la foudre, presque autant que d'être attaquée par des araignées. Un jour, bien avant ma naissance, le Conventus Malkin avait été surpris par un gros orage, sur la colline de Pendle. L'une des sorcières avait été foudroyée. On avait rapporté au village son corps noirci et racorni, et on raconte que l'odeur de sa chair calcinée avait empuanti l'air pendant des jours.

Où m'abriter ? Il est dangereux de se poster sous un arbre. Quant aux haies, elles ne me protégeraient pas longtemps.

Il faisait presque nuit, et j'aperçus au loin une faible lueur, indiquant probablement la présence d'une ferme. Je trouverais peut-être refuge dans une grange ? Les chiens aboieraient s'ils flairaient mon approche. Mais le fermier ne s'aventurerait pas au-dehors, dans le noir, par un temps pareil.

Je m'élançai donc en coupant à travers champs. J'escaladai une clôture sans quitter la lumière des yeux. Sous ce ciel couvert, je n'avais ni lune ni étoiles pour éclairer ma route, et la pluie qui me cinglait le visage m'aveuglait. Je ne compris mon erreur qu'au dernier moment.

La source de la lumière n'était pas une lampe posée derrière une fenêtre ni une lanterne suspendue au-dessus d'une porte.

C'était une barge amarrée au bord du canal.

Je m'arrêtai sur le chemin de halage. Cette grande embarcation, sombre et luisante, ne ressemblait en rien à celles qui transportent habituellement du charbon ou d'autres marchandises entre Caster et Kendal. Quant à la lumière qui m'avait attirée à travers champs, tel un papillon vers la lanterne où il va se brûler les ailes, elle provenait de treize chandelles noires plantées sur la proue.

Ces chandelles, semblables à celles qu'utilisaient les sorcières, me fascinaient autant qu'elles me troublaient : leurs flammes montaient tout droit en dépit des rafales de vent qui me coupaient la respiration. La pluie tombait dru, trouant la surface de l'eau. Or, pas une goutte ne mouillait le pont de cette mystérieuse embarcation. Ces phénomènes étaient des plus étranges. Mais ce bateau était si beau ! Le contempler suffisait à apaiser mes craintes.

Soudain, au milieu du pont, une trappe se souleva lentement, révélant un escalier.

Je lâchai alors une exclamation stupéfaite. Seules des barges à fond plat naviguent sur les canaux. Or, cet escalier avait... beaucoup trop de marches ! Il descendait bien trop profond ! C'était impossible, et pourtant c'était là, devant mes yeux.

N'importe quelle personne douée d'un peu de bon sens aurait pris ses jambes à son cou. Seulement, mon esprit ne fonctionnait plus. Une force me poussait à monter sur le pont, à m'engager dans l'escalier. Et c'est ce que je fis, comme dans un rêve.

Un rêve ? À y repenser, disons plutôt un cauchemar !

Excepté des chandelles, regroupées par douze, il n'y avait dans cette vaste cale qu'un trône de bois noir et luisant, sculpté de motifs représentant des serpents, des dragons et autres monstruosités. Bien que le trône ait paru inoccupé, je sentis mes cheveux se hérisser sur ma nuque : quelqu'un me regardait. Je m'avançai néanmoins, et me postai devant le siège vide.

Qui pouvait bien être assis là ?

Je n'avais pas posé la question à haute voix ; j'obtins pourtant une réponse.

Un de tes grands amis siégerait sur ce trône, s'il le pouvait, Alice. Je suis cet ami. Un jour, avec ton aide, je l'occuperai de nouveau.

Je restai perplexe. Je n'avais aucun ami. Les mots m'étaient parvenus de très loin. C'était une voix jeune, une voix de garçon.

– Comment connais-tu mon nom ?

Je connais ton nom comme je connais ton tourment, Alice. Je sais que tu sers Elizabeth des Ossements contre ta volonté, et que tu as peur de ce qu'elle va bientôt faire subir à de pauvres enfants innocents.

Je compris qu'il parlait de Lizzie l'Osseuse, même si je ne l'avais jamais entendue désignée ainsi.

– Qui es-tu ? Comment sais-tu tout cela ?

Nerveuse, je remarquai que les flammes des chandelles, qui montaient si droit sur le pont en pleine tempête, vacillaient follement dans l'air immobile de la cale, comme agitées par un souffle fantôme.

Je suis un des princes de ce monde, qui demeure invisible ; il est de mon devoir de tout savoir sur mes sujets. Je suis prêt à t'aider, Alice. Il te suffit de demander.

– Où es-tu, en ce moment ? Peux-tu te montrer ?

Je suis très loin d'ici. Mais regarde au-dessus du trône et ne cligne pas les yeux ! Ça ne durera qu'un bref instant.

Je fixai un point au-dessus du haut siège noir. D'abord, rien ne se passa. Puis l'air frémit, et un visage sans corps apparut.

C'était celui d'un garçon de treize ou quatorze ans – à peine plus âgé que moi. Il arborait un large sourire, et ses abondantes boucles blondes scintillaient à la lumière des chandelles.

Il était agréable à contempler ; on devinait quel bel homme il deviendrait. Il émanait de lui quelque chose de bon et d'amical. Je sus qu'il désirait mon bien, qu'il me soutiendrait de son mieux. Personne n'avait jamais pris soin de moi, à part Agnès – et je n'avais vécu que bien peu de temps chez elle. Mes parents m'avaient traitée avec rudesse. Quant à Lizzie...

Que quelqu'un s'intéresse ainsi à moi me réchauffait le cœur. Ma vie prendrait un tour nouveau avec l'appui d'un tel ami.

– Oh, oui, aide-moi, s'il te plaît ! m'écriai-je sans même réfléchir.

Toute crainte m'avait abandonnée. Je me sentais heureuse, sûre que les choses allaient s'arranger.

– Je voudrais secourir ces enfants, repris-je. J'étais en route pour prévenir Arkwright, l'épouvanteur, et l'emmener jusqu'à la maison où ils sont retenus captifs.

Ne perds pas ton temps à chercher cet épouvanteur, répliqua-t-il, tandis que son image s'effaçait. *Regarde en toi-même. C'est en toi que tu trouveras la force de réaliser ton désir. Tu n'as besoin de personne d'autre que toi.*

Je me rappelai le jour de l'Épreuve, à Pendle, quand, comme toute jeune sorcière potentielle, j'avais été testée pour découvrir mes futurs pouvoirs et le type de magie que j'exercerais. Pour moi, cette expérience terrifiante avait failli mal finir.

J'avais cependant appris qu'un jour, je deviendrais très puissante. Et voilà qu'on me le prédisait de nouveau. Devais-je le croire ?

– Qu'est-ce que je peux faire, face à des sorcières aussi féroces ? demandai-je. Lizzie, à elle seule, m'anéantirait en une seconde. Elle connaît plus de sorts que je ne peux l'imaginer. Et les autres, avec leurs griffes et leurs dents ? Je suis loin de les égaler !

Les égaler ? Tu les surpasseras sans peine ! Je te l'ai dit, la force est en toi. C'est en toi que tu dois chercher, poursuivit la voix désincarnée.

– Mais de quelle façon ?

Commence par fermer les yeux…, m'ordonna la voix avec douceur.

J'obéis, pleine d'espoir. Ne serait-il pas merveilleux d'être puissante et de ne plus vivre dans la peur ? Je voyais danser la lumière des chandelles à travers mes paupières.

Détends-toi et descends en toi-même, reprit la voix. *Plonge dans les ténèbres, de plus en plus profond.*

Pendant quelques instants, je résistai. L'idée de m'enfoncer dans l'obscurité me terrifiait. Mais il était déjà trop tard ; je m'étais mise en route. Je sombrai, d'abord lentement, puis de plus en plus vite.

Je tombai comme une pierre dans des abysses inconnus, m'attendant à un choc pénible quand j'en atteindrais le fond. J'avais peur, j'étais perdue, j'allais être anéantie. Pourquoi avais-je écouté cette voix ?

Mais il n'y eut pas de choc, pas de collision. Au lieu de ça, je me retrouvai flottant au sein des ténèbres, dans une paix totale.

Et soudain je découvris la force dont ce beau garçon avait parlé. Elle était en moi ; elle était une partie de moi ; elle m'appartenait. J'étais née avec elle. Jusqu'alors, je n'avais pas eu conscience de la posséder. Je m'étais toujours sentie vulnérable, condamnée à être malmenée par les êtres qui m'entouraient. À présent, je n'en doutais plus : j'étais capable de les repousser.

Tu vois ? Tu n'as pas besoin de sortilèges. Utilise-les s'ils te rassurent. Mais il te suffit de te concentrer et d'exercer ta volonté. Émets tes souhaits ! Dis-toi : « Je suis Alice. » Et tu seras Alice. Alors, rien ne te résistera. Tu me crois ?

– Oui ! m'écriai-je. Oui, je te crois !

Et c'était vrai. J'avais une confiance absolue dans les dires de cette voix. Quand j'avais promis à la petite Emily de la protéger, les mots m'étaient venus spontanément. À l'instant où je les avais prononcés, j'y avais cru. Peut-être parce que, au plus profond de moi, je *savais* posséder la force de tenir cette promesse.

Alors, va en paix et fais ce qui doit être fait pour sauver ces pauvres enfants. Un jour, nous nous reverrons. Et c'est toi qui m'aideras.

Je flottais, heureuse, dans une totale obscurité. La seconde d'après, je me retrouvai au bord du canal, sous la pluie, le tonnerre grondant au-dessus de moi.

La barge avait disparu.

Sans hésitation, emplie de la certitude d'arracher les enfants aux griffes des sorcières, je repartis vers la maison de Betsy la Saleuse.

Je marchais en grande hâte, dans la crainte d'arriver trop tard.

16

Une danse de mort

Je n'étais encore qu'à mi-chemin que mes cheveux dégoulinaient, les vêtements me collaient à la peau. Mes souliers pointus s'enfonçaient dans l'herbe détrempée. Et la détermination qui m'habitait en quittant le canal refluait lentement.

À mesure que je m'en éloignais, la barge et son étrange occupant n'avaient pas plus de réalité qu'un rêve. Avais-je vraiment vécu une telle rencontre ? Auquel cas ce que j'avais cru à ce moment-là me paraissait à présent folie.

Lizzie était une pernicieuse redoutable. Elle pouvait faire surgir de l'obscur des mangeurs de cerveau, ces petits êtres aussi malfaisants que Spig, pour me tourmenter. Ils se contentaient parfois de coups de griffes et de dents, mais le pire était toujours à craindre. L'un d'eux s'était une fois introduit dans ma narine gauche. Si je n'avais pas supplié Lizzie de m'épargner, il aurait rampé jusqu'à l'intérieur de mon crâne. Oserais-je lui désobéir ?

Malgré l'absence d'étoiles, j'estimai que minuit approchait. J'accélérai l'allure jusqu'à prendre un pas de course.

Où était la maison ? Elle devait être toute proche, à présent. Je me rappelais combien elle était difficile à trouver, même pour Lizzie, qui avait pourtant mémorisé sa position. Je l'avais fait aussi, mais à la lumière du jour.

La nuit était noire, les nuages et la pluie la rendaient plus noire encore. Et le sort de dissimulation était particulièrement puissant.

J'étais bien près de céder au découragement. Les sorcières avaient peut-être déjà tué les enfants. Où était cette fichue maison ?

« Montre-toi ! pensai-je désespérément. Montre-toi ! »

Et soudain, à la lumière d'un éclair, elle m'apparut.

Telle une barque ballottée par la tempête, je m'étais écartée de ma route. La bâtisse était à deux cents pas sur ma gauche. J'avais failli la manquer.

Néanmoins, je ne l'avais pas découverte par hasard. Était-ce à la seule force de ma volonté que j'avais triomphé du puissant sortilège qui la dissimulait ? Avais-je puisé dans la magie qui était en moi sans même marmonner une formule, comme le garçon de la barge m'avait enjoint de le faire ?

Je m'élançai aussitôt. Il n'était peut-être pas trop tard...

La maison, plongée dans l'obscurité, n'était qu'une masse sombre contre le ciel d'encre. Mais je savais qu'en bas, dans la cave, la flamme vacillante des chandelles éclairait une scène d'horreur.

Un éclair illumina la surface de la mare fouettée par la pluie, qui tambourinait sur le toit et débordait des gouttières saturées.

Je courus à la porte et tournai la poignée. La porte résista. Elles l'avaient verrouillée. Je m'apprêtai à cracher sur la serrure en utilisant le sort d'ouverture que Lizzie m'avait appris. Seulement, je ne l'avais encore jamais fait. Puis je me rappelai ce que m'avait dit le garçon de la barge :

Tu n'as pas besoin de sortilèges. Utilise-les s'ils te rassurent. Mais il te suffit de te concentrer et d'exercer ta volonté. Émets tes souhaits ! Dis-toi : « Je suis Alice. » Et tu seras Alice. Alors, rien ne te résistera. Tu me crois ?

Puisque la maison s'était montrée, obéissant à mon injonction, je fixai la serrure.

– Ouvre-toi, ordonnai-je.

Il y eut un déclic, et le verrou tourna. Cette impression de contrôler les choses me plut. Elle m'aidait à penser que, peut-être, je sauverais ces enfants en dépit des forces qui s'opposeraient à moi.

J'entrai et refermai doucement le battant derrière moi. Je fis halte quelques instants dans le noir, une nouvelle vague de peur l'emportant sur ma hâte d'intervenir. Mais, aux bruits qui montaient du sous-sol, mes pieds me menèrent jusqu'à l'escalier et s'engagèrent presque malgré moi sur les marches.

J'entendais des pleurs terrifiés ; un enfant hurla comme si on allait l'égorger.

Arrivée en bas, il ne me fallut qu'une seconde pour évaluer la situation. Les sorcières d'eau avaient décidé, me semblait-il, de gorger d'abord les skelts de sang pour augmenter leurs propres pouvoirs.

Sept des enfants étaient toujours enfermés – sans doute ceux qui avaient été choisis pour le rituel de l'œuf. Six autres avaient été jetés sur le sol, et on faisait sortir un premier skelt de sa cage.

Je comptai rapidement les sorcières d'eau, notant leur position. Elles étaient douze, ce qui faisait de Lizzie le treizième membre de ce Conventus improvisé. Assise sur un tabouret, elle tenait l'œuf dans son giron, un sourire satisfait aux lèvres.

D'autres sorcières manifestaient leur plaisir en jaillissant hors de l'eau, tels des phoques excités, avant de replonger sans une éclaboussure. Personne ne remarqua ma présence.

Mais où était donc Betsy la Saleuse ?

Le skelt avança vers l'une des petites victimes. Il s'élança soudain de toute la vitesse de ses pattes articulées, prêt à lui enfoncer son long tube osseux dans le cou.

Je n'avais qu'un dixième de seconde pour agir...

Rage et dégoût m'envahissent.

Je me concentre.

Je fixe la créature.

Je veux qu'elle s'écarte de l'enfant. Je la repousse de toute la force de mon esprit.

Elle est projetée en l'air comme par une main invisible ; elle flotte un instant au-dessous du plafond avant d'aller s'écraser contre le mur du fond.

Le skelt retombe sur les dalles, la tête fendue. Il rampe tel un insecte écrasé, laissant derrière lui une traînée gluante de cervelle et de sang. Il entre dans l'eau à grand bruit et sombre dans les profondeurs.

Toutes les sorcières tournent vers moi des visages déformés par la haine et la colère.

C'est Lizzie qui attaque la première. Serrant l'œuf dans sa main droite, elle bondit, les ongles de sa main gauche en avant pour m'arracher les yeux.

Je l'attends calmement.

Je n'ai pas peur.

Je suis Alice.

J'esquive, et la main de Lizzie manque mon visage. J'allonge le pied. Elle trébuche, s'écroule de tout son long sur le sol boueux. L'œuf de cuir lui échappe et roule jusqu'au bord de l'eau.

Les enfants se sont tus.

Ce sont les sorcières qui crient, maintenant. Qui hurlent de rage.

Je regarde Lizzie, elle rampe dans la boue. Elle me lance un regard de haine. Un rictus lui tord la bouche.

Elle représente toujours une menace, et je devrai l'affronter bientôt.

Mais le danger immédiat vient des sorcières d'eau. Folles de colère, elles se ruent sur moi, toutes griffes dehors. Leur force est prodigieuse. Elles pourraient me démembrer, dévorer ma chair, boire mon sang et me broyer les os.

Elles le pourraient. Mais je ne le leur permettrai pas.

Je n'ai ni griffes ni crocs, pas même une arme à ma disposition.

Je n'ai que ma magie.

Et il existe bien des façons de l'utiliser.

J'émets le souhait d'être quelqu'un d'autre, quelqu'un qui saurait affronter ce danger.

J'ôte mes souliers pointus, j'en serre un dans chaque main. Leurs talons me serviront d'armes. Il ne me faut qu'un peu d'habileté. Je rassemble mes forces magiques. J'aiguise ma volonté. Je possède à présent la science du combat de la plus farouche guerrière. Je la sens s'infiltrer dans mes veines.

Je suis Alice.

La première sorcière d'eau est sur moi. Je m'écarte et la frappe violemment avec le talon de mon soulier. Elle tombe. Elle a désormais au milieu du front un troisième œil rouge et sanglant.

Je vire, je tournoie, j'exécute la danse de Grimalkin ; sa danse de mort. Et je frappe à gauche, et je frappe à droite. Chaque coup porte. Chaque coup abat une ennemie.

Je veux les voir terrifiées.

Telle est ma volonté.

Et les voilà en fuite.

Certaines plongent dans l'eau et s'échappent par la mare. D'autres s'élancent dans l'escalier.

Je me sens si forte ! Morwène elle-même ne m'impressionnerait pas. Qu'elle vienne ! Je me dresserai devant elle.

Mais Morwène ne se montre pas. J'en suis presque déçue.

Il ne reste à présent que Lizzie.

Elle se relève, maculée de boue.

L'heure des comptes a sonné.

Quelque chose en moi m'ordonne de la tuer. C'est une meurtrière, une tueuse d'enfants. Le monde irait mieux sans elle. Je me prépare, puis j'hésite. Je ne peux pas faire ça.

Elle est ma famille. Je ne lui ôterai pas la vie.

Mais je me rappelle ce qu'elle m'a fait subir et je souris.

Les mangeurs de cerveau ! J'utiliserai les mangeurs de cerveau pour la tourmenter !

M'obéiront-ils ? Ma magie est-elle assez puissante ? Usant de toute ma volonté, je les fais surgir de l'obscur. Ils apparaissent, affamés.

Je les lance contre Lizzie.

L'un d'eux tente déjà de s'introduire dans son oreille. Elle se débat désespérément. En vain. Un autre se faufile par sa narine gauche. Aussitôt, je les arrête. Je renvoie les affreuses petites créatures dans l'obscur.

Puis j'avise l'œuf, au bord de l'eau vaseuse. Je m'approche. Il se passe alors une chose étrange. Une longue patte articulée apparaît.

Je la reconnais tout de suite.

C'est celle d'un skelt. La bête a dû trouver refuge dans la mare.

La patte se dirige vers l'œuf de cuir.

Je m'avance pour m'en emparer. Je dois le mettre en sécurité, loin de Lizzie.

Puis je réfléchis.

Si je laissais le skelt l'emporter ?

Seulement, les sorcières d'eau pourraient s'en emparer…

J'ai hésité trop longtemps.

La patte agrippe l'œuf de cuir ; il disparaît sous la surface de l'eau, qui se ride à peine. C'est un comportement étrange, de la part d'un skelt. Que va-t-il faire de cet œuf ?

J'écarte la question. Je dois ramener les enfants chez eux.

Quand je les fis sortir de la maison, je m'aperçus qu'il pleuvait toujours. Les enfants ne semblaient pas y prendre garde. Ils bavardaient avec excitation, tout à leur joie d'échapper aux sorcières et aux horribles skelts.

Certains devaient être rendus à leur famille, d'autres, reconduits à l'orphelinat. Je me demandai s'ils y étaient heureux.

Puis je remarquai qu'Emily, la fillette dont Lizzie avait malmené la mère, ne parlait à personne. Je m'apprêtai à la prendre par la main pour qu'elle marche à côté de moi quand mon attention fut attirée ailleurs.

Comme nous dépassions la mare, une silhouette sortit de l'ombre, courant vers moi. Les enfants s'éparpillèrent, effrayés, tandis que je me campai sur mes jambes.

C'était Betsy Gratton.

– Tu as tout gâché, petite ! cracha-t-elle avec colère, ses petits yeux de cochon lui sortant presque de la tête. Pour moi qui ne peux utiliser la magie, c'était la seule chance d'obtenir ce genre de pouvoir ! Mes filles auraient été heureuses de me le donner. Et tu me l'as pris !

Une arme à la longue lame incurvée à la main, elle avait clairement l'intention de me tuer. Je lus la mort dans son regard, et ma réaction fut un pur réflexe. Puisant dans ma magie, je la repoussai loin de moi.

Elle fut projetée cul par-dessus tête avant de retomber avec bruit dans la mare.

Quand elle réapparut à la surface, toussant et crachant, elle se mit à agiter les bras dans tous les sens, l'air paniqué.

Elle ne savait pas nager.

Curieusement, elle était la gardienne des sorcières d'eau, et leur environnement naturel risquait de lui être fatal. J'étais partagée. Il me suffisait d'un peu de magie pour la sauver. Mais après ? Elle dirigerait de nouveau sa horde de sorcières ? Et d'autres petits innocents mourraient ?

Anxieuse, perplexe, je ne bougeai pas, balançant entre action et inaction. Les enfants s'étaient regroupés autour de moi. Sans un mot, nous la regardâmes se débattre et disparaître enfin sous l'eau noire.

17

Petite sotte !

A près avoir assisté à la noyade de Betsy Gratton,
je raccompagnai les enfants chez eux.

À l'approche du premier hameau, je vis une
troupe d'hommes descendre la rue principale en
brandissant des torches. Certains étaient armés de
gourdins ; l'un d'eux, sans doute un ancien soldat,
portait une épée à la ceinture. Ils étaient visiblement
sur le pied de guerre.

Je ne tenais pas à m'approcher trop près. Mes souliers pointus m'auraient désignée comme sorcière,
et ils m'auraient crue complice des enlèvements, ce
qui – je le reconnus avec une pointe de culpabilité –
n'était pas faux.

– Il y a mon papa et mon oncle ! s'exclama un petit garçon, dont le visage s'épanouit.

– Allez rejoindre ces gens, ordonnai-je à tous les enfants. Ils vous rendront à vos parents.

Certains s'élancèrent en courant, d'autres – sans doute les orphelins – les suivirent avec nettement moins d'enthousiasme.

Je posai la main sur l'épaule d'Emily.

– Toi, tu viens avec moi. Je te raccompagne chez toi.

Elle me donna la main sans hésitation, et nous contournâmes le hameau avant de prendre la route de son village.

La maison apparut, plongée dans le noir. C'était mauvais signe. Certes, la mère de la petite avait pu rejoindre un autre groupe de parents en quête de leurs enfants ; à moins qu'elle ne se soit réfugiée chez des amis ou dans sa famille.

La porte n'était pas verrouillée.

Je la poussai et montai à l'étage, Emily sur mes talons. Nous n'échangeâmes pas un mot, mais la fillette se mit à pleurer sans bruit. Elle craignait le pire, et moi aussi.

Dans la pénombre du palier, je perçus un souffle rauque et irrégulier : quelqu'un luttait pour faire entrer un peu d'air dans ses poumons. Je sortis le bout de chandelle que je gardais toujours dans ma poche.

Par habitude, je commençai à marmonner une formule. Elle ne fut pas nécessaire : la mèche s'alluma toute seule.

La mère d'Emily, à quatre pattes, leva les yeux vers nous. Rien dans son regard ne révélait qu'elle reconnaissait sa fille. Elle voulut parler mais n'émit qu'une sorte de charabia. Elle tenta de se relever, et retomba aussitôt sur les genoux.

Emily s'accroupit auprès d'elle et lui entoura le cou de ses bras.

– Maman ! Oh, maman ! C'est moi, Emily ! Dis quelque chose !

La pauvre femme ne sut que grogner en roulant les yeux. Sans doute était-elle mourante. Certaines sorcières prétendent qu'à la suite d'un coup violent sur la tête, le cerveau enfle au point de ne plus tenir dans la boîte crânienne, et sort par les oreilles et les narines.

Il se pouvait aussi que la malheureuse survive, tout en ayant perdu la mémoire et l'usage de la parole.

Étais-je capable de la guérir ? La magie noire sert à combattre des ennemis ou à les soumettre. Elle permet de tuer, de mutiler, de terrifier. Mais de soigner ?

Ma magie n'était sans doute pas la bonne ; je me devais pourtant d'essayer.

– Recule-toi, Emily ! dis-je doucement. Laisse-moi voir ce que je peux faire.

La fillette obéit, et je m'agenouillai près de sa mère. Je posai ma main droite sur sa tête. Elle tourna vers moi un visage égaré.

De toutes mes forces, j'émis le souhait qu'elle soit guérie. D'abord, rien ne se passa. Puis je sentis une chaleur intense descendre le long de mon bras et se répandre dans ma main.

L'expression de la femme changea. Elle me fixa avec colère avant de me repousser.

Sautant sur ses pieds, elle s'élança vers sa fille.

– Emily ! J'ai cru que je ne te reverrais jamais !

Elle l'entoura de ses bras et la serra contre elle en sanglotant. Toutes deux semblaient avoir oublié ma présence. Je redescendis l'escalier sans bruit et quittai la maison.

Je réfléchissais à tout cela tandis que je cheminai vers Pendle. J'avais opéré une guérison. Ma magie pouvait donc servir à faire le bien. Mon avenir n'était peut-être pas si désespéré ?

Je marchais comme en rêve.

Marcher ? Non, je flottais presque, je glissais sans effort sur la route. Les ronciers se rétractaient à mon approche, les branches basses s'écartaient d'elles-mêmes pour ne pas m'égratigner, des papillons voletaient dans mon sillage.

Je traversai un village en plein jour, mes souliers pointus claquant sur les pavés. Je souhaitai que les gens ne me voient pas, et je fus aussitôt invisible à leurs yeux. Il y avait un marché, sur la place ; je pris un fruit sous le nez du marchand.

Il ne s'en aperçut pas, et jamais je n'avais croqué dans une chair aussi sucrée, aussi juteuse que celle de cette belle pomme rouge. Mais peut-être n'était-ce que la manière dont je l'avais obtenue qui la rendait si savoureuse.

Alors que je passais au sud de la sinistre colline, une pluie torrentielle s'abattit, de celles qui couchent le blé dans les champs et transforment les sentiers en ruisseaux. Pas une goutte ne me toucha, et mes souliers restèrent aussi secs que s'ils arpentaient une route poussiéreuse.

Ma tête s'emplit de musique – un chœur d'étoiles invisibles qui ne chantait que pour moi – et je me sentis soulevée par un formidable sentiment d'exaltation.

J'étais puissante, invulnérable.

Je ne craignais personne.

Pas même Lizzie. Pas même Grimalkin.

Il faisait nuit quand j'arrivai à Roughlee. Je montai jusqu'à la maison d'Agnès Sowerbutts. J'avais été heureuse, ici. J'y serais heureuse à nouveau.

J'avais bien droit à un peu de bonheur après toutes ces épreuves !

De la lumière brillait derrière la fenêtre. J'avais un signal secret pour annoncer ma venue : le cri de l'engoulevent, avec une modulation particulière pour qu'Agnès sache que c'était moi et non l'appel d'un banal oiseau de nuit.

Mais, cette fois, je ne m'en servis pas. Je n'eus qu'à le désirer, et elle sut que j'étais là. La porte s'ouvrit, Agnès apparut sur le seuil.

Je courus vers elle avec un grand sourire.

Elle demeura impassible.

Et me flanqua une gifle magistrale.

– Petite sotte ! cria-t-elle avec colère.

18

La lune noire

—Qu'est-ce qu'il y a, Agnès ? Qu'est-ce que j'ai fait de mal ? Tu n'es pas contente de me revoir ? m'écriai-je, les yeux pleins de larmes.

Sa gifle me brûlait encore la joue, mais ce qui m'était le plus douloureux, c'était la façon dont elle me regardait.

Me prenant par les épaules, elle me poussa à l'intérieur et claqua la porte.

– Aucune sorcière ne peut s'afficher ainsi ! Elle serait vite consumée, et ses pouvoirs aussi ! s'exclama-t-elle. Je sens l'odeur des tiens dans l'air à mesure qu'ils s'évaporent de ta peau. Raconte-moi ! Quelque chose est arrivé, quelque chose d'énorme. Dis-moi tout !

Je m'assis donc sur le tabouret, dans la cuisine, et lui rapportai la découverte de l'œuf de cuir, la rencontre avec Betsy Gratton, les sorcières d'eau, l'enlèvement des enfants pour le sacrifice, ma fuite hors de la maison.

– J'avais peur, mais je devais trouver un moyen... J'étais si désespérée que je m'apprêtais à demander l'aide de l'épouvanteur local. Puis un orage a éclaté. J'ai cherché un abri pour me protéger de la pluie et j'ai aperçu une lumière ; j'ai cru qu'elle venait d'une ferme. En m'approchant, j'ai découvert sur le canal une étrange barge noire. La lumière émanait de chandelles disposées sur le pont. La pluie aurait dû les éteindre, mais elles continuaient de brûler...

Je décrivis ensuite l'escalier trop profond, et le trône imposant devant lequel j'avais conversé avec le mystérieux batelier.

– À quoi ressemblait-il ? voulut savoir Agnès.

– D'abord, il ne s'est pas montré. Il a déclaré qu'il ne pouvait être là en personne mais qu'un jour, avec mon aide, il siégerait sur ce trône. Puis il m'est apparu quelques instants. Il n'était pas beaucoup plus âgé que moi, avec un visage souriant et des boucles dorées. Et il me regardait avec tant de bienveillance ! Il m'a révélé que le pouvoir était en moi, que je n'avais pas besoin de l'aide d'un épouvanteur pour secourir les enfants, que j'étais capable de le faire !

– A-t-il dit qui il était, Alice ? T'a-t-il dit son nom ?

– Il m'a dit être un des princes de ce monde, qui demeurait invisible.

– Petite sotte ! s'écria de nouveau Agnès. Si je ne m'abuse, c'était le Malin en personne !

Je la fixai, stupéfaite.

– Ce n'est pas vrai ! Le Malin est vieux et laid, il a le visage sournois. Et il porte de grandes cornes sur la tête, tout le monde le sait !

– Oh non, ma fille ! Il change de taille et d'apparence à volonté. Il peut devenir en un clin d'œil un joli garçon aux boucles dorées, comme bien des jeunes filles l'ont appris à leurs dépens !

– Mais pourquoi se serait-il servi de moi pour sauver ces enfants ? Il appartient à l'obscur ; pourquoi m'aurait-il permis de vaincre l'obscur ? Pourquoi ? C'est absurde !

– Oh, que non ! C'est tout à fait sensé, au contraire. Il a vu ta culpabilité et tes remords ; il a senti ton désir désespéré d'arranger les choses. Il t'a donc donné ce que tu désirais. Il te veut de toutes ses forces, petite.

– Comment ça, il me *veut*... ?

– Il veut ton âme. Il veut ta soumission. Il veut que tu te tiennes à ses côtés pour combattre la lumière. Certaines sorcières sont tout juste capables de chasser les verrues ou de flanquer la colique à un ennemi. D'autres, comme Lizzie, voient leurs dons se développer tout au long de leur vie. Elles s'exercent sans cesse et deviennent de plus en plus fortes au fil des ans. Il existe aussi des sorcières – elles sont fort rares – incroyablement puissantes, dont le pouvoir est inné. Tu es l'une d'elles, Alice. Je l'ai toujours su. Et le Malin te veut pour se servir de ton pouvoir. C'est pourquoi je souhaitais t'élever moi-même, pour te tenir éloignée des sorcières qui éveilleraient en toi ces noires capacités. Mais Lizzie t'a emmenée... et voilà où nous en sommes !

« Écoute-moi bien ! Ce pouvoir provient du cœur même de l'obscur et, si tu t'en sers pour un oui ou pour un non, il te détruira. Il s'emparera de toi et te volera ton âme. Montre-moi ta marque !

– Quelle marque ?

– Ne me prends pas pour une idiote ! Montre-moi la marque secrète qui révèle ton potentiel !

Je me mis à trembler. Je savais de quoi elle parlait, mais je ne voulais même pas y penser. À Pendle, chaque fille qui naît avec le don de sorcellerie porte ce genre de marque.

– Où est-elle, petite ?

Je relevai ma jupe au-dessus du genou pour lui montrer une tache sombre, à l'intérieur de ma cuisse gauche. La dernière fois que je l'avais regardée, elle n'était qu'un fin croissant.

– A-t-elle grossi ?

– Un peu, admis-je.

Elle était à présent beaucoup plus large.

– Chaque fois que tu te serviras de la magie, m'apprit Agnès, la tache grossira. Le jour où ce simple croissant sera devenue une pleine lune noire, tu appartiendras définitivement à l'obscur. Ton âme sera endurcie, comprends-tu ? Toute compassion humaine t'aura quittée.

– Qu'est-ce que je dois faire, alors, ma tante ? m'écriai-je.

– Survivre, Alice, rien d'autre. C'est tout ce que chacune de nous peut faire. N'utilise jamais ton pouvoir de manière inconsidérée ! Efforce-toi d'en limiter l'usage. Le mieux serait même de ne plus t'en servir du tout !

– Mais Lizzie va vouloir se venger !

– Se venger de *quoi* ?

Je lui racontai comment, pour sauver les enfants, j'avais tué des sorcières d'eau, dispersé les autres et laissé Betsy Gratton se noyer.

– Et Lizzie ? Qu'est-ce que tu lui as fait ?

– Je lui ai rendu la monnaie de sa pièce. J'ai fait surgir de l'obscur une dizaine de mangeurs de cerveau. Elle n'a pas aimé ça ! Elle va se lancer à mes trousses, c'est sûr. Avec les sorcières d'eau rescapées, assoiffées de revanche. Sans l'aide de la magie, je serai morte et enterrée avant la fin de la semaine.

Enfouissant le visage dans ses mains, Agnès demeura silencieuse un long moment.

Enfin, elle releva la tête.

– Oui, tu es en grand danger. Hélas, en dépit de mes avertissements, tu vas être obligée d'utiliser ton pouvoir. Rien qu'un peu ! Pour jeter la confusion dans l'esprit de Lizzie et de ses sœurs de vase. Leur faire oublier le rôle que tu as joué. Leur faire oublier l'existence même de l'œuf de cuir. C'est un risque, mais je ne vois pas d'autre solution. Je ne suis pas assez forte pour te protéger de Lizzie ; alors, retourne chez elle et poursuis ta formation. Les choses changent parfois quand on s'y attend le moins. Un jour, tu verras, tu lui échapperas.

Je suivis le conseil d'Agnès. J'usai de mon pouvoir encore une fois. Le lendemain, le cœur lourd, je repartis chez Lizzie.

Elle n'avait pas l'air dans son assiette. Pendant plusieurs jours, elle erra ici et là d'un pas de somnambule. Puis elle recommença à m'empoisonner la vie. Néanmoins, elle ne fit jamais allusion aux sorcières d'eau ni à l'œuf de cuir. À croire qu'il n'avait jamais existé.

Ma formation de sorcière se poursuivait, mais je cachais soigneusement mes capacités à Lizzie.

Je savais qu'Agnès avait raison : c'était le Malin qui m'avait parlé cette nuit-là, éveillant mes pouvoirs latents. Si je les utilisais, je finirais par lui appartenir. Je deviendrais un être maléfique, étranger à tout sentiment humain. Et ça, je m'y refusais.

Agnès avait vu juste sur un autre point. Mon séjour chez Lizzie prit fin de façon totalement inattendue. Elle nous avait ramenées à Chipenden, dans l'intention de libérer Mère Malkin de la fosse où l'Épouvanteur l'avait enfermée.

Mais les choses ne tournèrent pas comme elle l'avait espéré.

Je rencontrai Thomas Ward, l'apprenti du vieux Gregory, et mon existence en fut définitivement transformée. Cette époque où Tom et moi devînmes amis fut la plus heureuse de ma vie.

19

Une vieille ennemie

Tout cela s'était passé des années auparavant. Mais à présent, ici, dans l'obscur, face à Betsy Gratton, il me semblait que c'était la veille.

Elle m'adressa un sourire mauvais depuis sa chaise, au fond de la cave humide.

La mare s'étendait à sa droite ; des sorcières d'eau guettaient probablement sous sa surface vaseuse.

– Tu ne t'attendais pas à me revoir, hein ?

Je me tournai vers Thorne, qui m'avait trahie, des mots de colère au bord des lèvres. Elle avait déjà disparu. J'entendais le claquement de ses souliers pointus s'éloigner dans l'escalier.

– C'est bien triste, ces gens qui vous laissent tomber, commenta Betsy en se levant pour venir vers moi. Que veux-tu, chacun monnaye ce qu'il peut, et Thorne ne fait pas exception.

Je me sentais blessée. J'avais cru que Thorne était mon amie. Comment cette fille qui avait combattu au côté de Grimalkin avait-elle pu changer ainsi ? La tueuse ne tarissait pas d'éloges sur elle.

– Sais-tu quel a été son prix ? demanda Betsy.

Je ne répondis pas. Je supputais mes chances de m'en tirer. Le mieux était de filer par l'escalier. Quoique... Quelqu'un m'attendait sûrement en haut.

– Il est possible à une sorcière de naître une deuxième fois. Tu savais ça, petite ?

– Certaines le prétendent. Mais je n'ai jamais rencontré personne qui se vante de vivre une seconde vie, rétorquai-je.

– Le cas est rare, admit Betsy. Il exige une énorme quantité de pouvoir. Au moins deux des Anciens Dieux doivent unir leur volonté. Et il faut un talent spécial pour localiser un vivant ayant pénétré dans l'obscur. La meilleure à ce petit jeu est Morwène, la plus puissante des sorcières d'eau. Dès qu'elle a su que tu entrais dans l'obscur, elle s'est mise au travail. Thorne s'est vu accorder une autre chance de vivre sur terre si elle te conduisait jusqu'ici. Elle veut prouver qu'elle sera la plus grande des sorcières tueuses, plus redoutable que celle qui l'a instruite, Grimalkin ! Telle sera sa récompense. Morwène l'a postée sur ta route. Tu l'as suivie sans l'ombre d'une hésitation. Elle t'a conduite jusqu'à nous comme un agneau.

Je ne fis aucun commentaire. Comme elle ne m'avait pas répondu la première fois, j'avais eu l'intention de redemander à Thorne comment elle avait su où me trouver, mais j'avais tergiversé. Maintenant, je connaissais la réponse. Agnès avait raison : je n'étais qu'une sotte.

– C'est fini pour toi, petite. Rien ne te sauvera plus. Aussi puissante que soit ta magie, elle ne t'aidera pas ici : la magie noire n'agit pas dans l'enceinte de la basilique ni aux alentours. C'est une zone interdite. De plus, nous sommes nombreuses, et tu es seule.

Portant deux doigts à sa bouche, Betsy émit un long sifflement. Aussitôt, une dizaine de sorcières sortirent de la mare. Certaines rampèrent sur la berge ; d'autres jaillirent tels des saumons avant d'atterrir sur leurs pieds palmés en envoyant autour d'elles des gerbes d'eau fangeuse. Toutes fixaient sur moi un regard haineux.

Elles allaient m'enfoncer dans l'eau, sucer mon sang si vite que mon cœur cesserait de battre avant même que je sois noyée. Ou bien elles me mettraient en pièces. Quoi qu'il en soit, j'espérais que ce serait rapide.

Et si Betsy avait menti ? L'idée de terminer ma vie ici me révoltait. Je devais trouver le poignard ; il fallait mettre un terme aux agissements du Malin.

J'exerçai ma volonté.

Rien.

Aucun résultat.

C'était vrai. La magie ne fonctionnait pas.

J'avais échoué dans la quête de cette arme dont Tom avait tant besoin. Le Malin allait triompher, et mes meilleurs amis mourraient aussi. Nous aurions fait tout ça pour rien. La colère m'envahit.

Même si j'étais vaincue, je pouvais encore frapper Betsy une dernière fois.

Je lui lançai un violent coup de pied, et le bout de mon soulier pointu s'enfonça profondément dans son ventre mou. Avec un son de ballon qui se dégonfle, elle se plia en deux et tomba à genoux.

Des mains griffues m'avaient déjà empoignée et me tiraient vers la mare. Je tentai de résister, mais elles étaient trop fortes et trop nombreuses. Des crocs claquèrent à un cheveu de mon visage. Une haleine fétide m'emplit les narines.

Puis l'eau se referma au-dessus de ma tête, et je me sentis entraînée vers le fond. Tout s'était passé si vite que je n'avais pas eu le temps de prendre une grande inspiration. Tandis que je m'enfonçais, la vase m'emplit le nez et la bouche. L'air me manqua, je suffoquai.

J'avais beau me débattre, les griffes puissantes ne me lâchaient pas. Tout devint noir autour de moi, je sentis ma conscience s'éteindre. Je n'entendais plus que les battements de mon cœur, de plus en plus lents. Peut-être les sorcières buvaient-elles déjà mon sang.

Pourtant, je ne ressentais aucune douleur, rien que la brûlure de mes poumons et le terrible besoin de respirer.

Puis ce fut le néant.

Quand je repris conscience, je vomissais, à quatre pattes sur la berge boueuse.

– Ça t'a plu, petite ? jubila Betsy, de nouveau assise sur sa chaise.

Deux sorcières d'eau me tenaient par les épaules, leurs griffes enfoncées dans ma peau.

– À présent, tu sais quel effet ça fait de se noyer. Tu sais ce que j'ai ressenti quand tu m'as laissée sombrer. Et ce n'est pas fini ! Dès que tu auras repris ton souffle, ça va recommencer. C'est une mort lente et douloureuse que je te réserve.

Ce n'était pas une menace en l'air. L'instant d'après, les sorcières me traînaient encore vers la mare. Elles n'étaient plus que deux, mais je n'aurais même pas pu résister à une seule.

Cette fois, je réussis à m'emplir les poumons. Ce qui ne fit que retarder mon agonie. Le besoin de respirer fut bientôt si intolérable que l'eau s'engouffra dans ma bouche et mon nez.

Un grondement m'emplit les oreilles, et ce fut le noir. Et je me retrouvai encore à genoux, haletante et secouée de haut-le-cœur.

Le supplice se répéta tant de fois que j'en perdis le compte. À chaque occasion, Betsy m'abreuvait de sarcasmes depuis sa chaise tandis que je reprenais péniblement mon souffle.

Heureusement, il y a une fin à tout, et celle de Betsy était arrivée.

Je recrachais l'eau vaseuse pour la énième fois quand je la découvris, affalée sur sa chaise, un couteau enfoncé dans la gorge, jusqu'à la garde. Son corps commença à se désintégrer sous mes yeux. Sa tête roula entre ses genoux. Je me souviens m'être vaguement demandé si c'était le processus habituel quand on mourait pour la deuxième fois.

Quelques instants plus tard, cette hypothèse se confirma.

Aucune griffe ne me maintenait plus. Les deux sorcières gisaient sur le sol boueux de la cave, un couteau entre les omoplates. Et leurs corps s'effritaient.

Une main m'aida à me relever, celle de Thorne. Je tentai de me dégager d'un geste hargneux.

Seulement, j'étais trop faible, je manquai encore d'oxygène.

– Viens ! Viens vite ! me cria-t-elle. Morwène sera là d'une seconde à l'autre.

Elle m'entraîna vers l'escalier et me hissa jusqu'au sommet sans que j'aie la force de résister.

Après avoir traversé la salle, nous sortîmes par la porte de devant. Je vacillai sur mes jambes, Thorne me soutenait. Nous nous accroupîmes enfin à l'ombre d'un mur, hors de la lumière de la lune de sang.

– Je suis désolée, chuchota Thorne.

J'étais sur le point de lui dire ma façon de penser quand mon estomac se contracta. Je me tournai sur le côté pour vomir dans l'herbe.

Quand j'eus enfin repris ma respiration, je déversai ma fureur :

– Désolée ? Tu es *désolée* ? Désolée de quoi ? De m'avoir trahie et envoyée à la mort ? De m'avoir empêchée de trouver le poignard pour détruire le Malin ? Et à qui s'en prendra-t-il, après ? À Grimalkin, bien sûr ! Belle façon de remercier celle qui t'a tout appris ! Grimalkin serait cruellement déçue. Tu étais brave dans la vie ; elle attendait de toi que tu le sois aussi dans la mort. C'est ce qu'elle m'a dit. Mais tu es lâche, incapable d'accepter ton séjour dans l'obscur et prête à *n'importe quoi* pour vivre une deuxième vie !

Thorne restait muette. Elle fixait le sol, la tête basse.

Ma colère s'étant un peu calmée, je repris :

– Pourquoi es-tu revenue ?

Elle répondit sans relever les yeux :

– Je n'avais pas gagné le haut des marches que je regrettais déjà ce que j'avais fait. Jusqu'à cet instant, ça ne m'avait pas paru réel. Puis j'ai entendu ce qui se passait dans la cave. Tu avais noyé Betsy sur la terre, mais sa mort n'était rien par rapport à ce que tu allais subir. Au bout d'un moment, je n'ai pas pu le supporter. Alors, je t'ai secourue.

– Et maintenant ?

– Je vais t'aider à trouver le poignard.

– J'aime autant me débrouiller seule, rétorquai-je. Comment veux-tu que je te fasse confiance, à présent ? As-tu parlé à quelqu'un, quand tu as quitté la cave ? As-tu révélé pourquoi j'étais ici ? Que je cherchais le territoire du Malin ?

Si la nouvelle s'était répandue, on me guetterait à chaque tournant !

– Non, Alice. Je n'ai rien dit. Tu as plus de chances de réussir en ma compagnie que seule ; nous avons besoin l'une de l'autre. Après ce que j'ai fait, on va me poursuivre aussi. Je vais connaître une deuxième mort, lente et horrible. Tu es tout près du but. Les domaines changent de place, mais on dit que celui du Malin reste toujours proche de la basilique. Il est fort probable que le bon portail s'y trouve. Je t'en prie, fie-toi à moi encore une fois. Laisse-moi venir avec toi...

Je réfléchis. Il y avait du vrai dans son argumentation. Et elle était revenue pour me sauver...

– Soit, concédai-je. Je dois à tout prix atteindre ce portail

– Son emplacement n'est pas fixe, il faudra le chercher. Et la basilique est truffée de pièges. À l'intérieur, on ne pourra compter que sur la chance. Je n'y suis jamais entrée moi-même, mais je connais quelqu'un qui nous aidera à nous y introduire discrètement. Quelqu'un de sûr. Attends-moi ici. J'irai plus vite sans toi.

– Ça te prendra combien de temps ?

– Le temps qu'il faudra. Attends-moi, c'est tout.

Thorne partit, et je me retrouvai seule dans l'ombre du mur, grelottant dans mes vêtements mouillés.

20

Mâchoires grandes ouvertes

J e restai accroupie là, transie, pendant ce qui me
parut plus d'une heure.

Je commençais à douter du retour de Thorne.
Peut-être avait-elle changé d'avis pour se ranger de
nouveau au côté de mes ennemis. À moins qu'elle
ne se soit fait prendre.

Si elle ne revenait pas, je devrais tenter de trouver
mon chemin dans la basilique par mes propres
moyens. J'ignorais combien il restait de jours, sur
terre, avant Halloween; quoi qu'il en soit, le temps
m'était compté.

Thorne réapparut enfin et, sans un mot d'explication, me fit signe de la suivre.

Nous approchâmes de la basilique en décrivant de lentes spirales par les ruelles, avant de nous arrêter devant un espace pavé d'environ cent pieds de large qui nous séparait de l'énorme bâtiment.

Thorne tendit le doigt.

— Tu vois la troisième porte sur la gauche ?

Je comptai rapidement. Il y avait cinq portes de tailles variables. La troisième, ovale, était la plus petite.

J'acquiesçai.

— On va passer par celle-là, déclara Thorne. Elle n'est presque jamais gardée.

— Tu es sûre de ceux qui t'ont donné cette information ?

— Autant qu'on puisse l'être de quiconque réside dans l'obscur. J'ai parlé à plusieurs personnes, certaines en qui je me fie, d'autres dont je doute. Mais toutes étaient d'avis que c'était la bonne entrée.

Ma confiance à moi était toute relative. Néanmoins, j'opinai de la tête. Un doigt sur ses lèvres pour m'intimer le silence, Thorne s'élança, et je bondis sur ses talons.

Nous n'étions plus qu'à cinquante pas de la porte quand la cloche se mit en branle. On appelait dans la basilique les Choisis qui seraient vidés de leur sang. Nous étions en grand danger.

Quand le treizième coup résonna lugubrement, il y eut un cri rauque. Je le reconnus aussitôt : c'était celui d'un chyke. Et il n'était pas seul. Une dizaine de ces créatures à l'allure de chauves-souris planaient au-dessus de nos têtes, leurs griffes déployées pour nous déchirer la chair, leurs yeux rougeoyant comme des braises.

La dernière fois que j'en avais vu un, il m'avait paru de la taille d'un être humain. Ceux-ci semblaient encore plus grands.

Thorne portait ses poignards, mais je n'avais pas d'arme, et j'avais appris à mes dépens que la magie ne fonctionnait pas aux alentours de la basilique. Je lançai tout de même vers le chyke le plus proche un sortilège de répulsion. Sans résultat. Le démon continua sa descente, ses mâchoires ouvertes dégoulinant de bave.

Nous courûmes vers l'abri qu'offrait la petite porte ovale.

J'esquivai l'attaque du chyke grâce à un roulé-boulé, non sans qu'une brûlure aiguë m'ait traversé le front. Quand je me remis sur mes pieds, le sang me dégoulinait dans les yeux. Mais Thorne faisait face. Malgré la douleur que lui causaient ses mains sans pouce, elle tenait deux lames avec lesquelles elle repoussait l'assaillant.

Je connus un instant d'intense panique. D'autres créatures fondaient sur nous – bien trop nombreuses pour que ma compagne en vienne à bout. Nous allions être mises en pièces.

Je me protégeai le visage de mes bras, anticipant la douleur. Je ne sentis rien. Les griffes qui s'apprêtaient à déchirer ma chair n'étaient plus là.

Je levai les yeux : nos assaillants fuyaient devant un autre être ailé, encore plus grand qu'eux. Le moins rapide cria de terreur quand son poursuivant le rattrapa. Il fut aussitôt déchiqueté, et une pluie de lambeaux sanglants retomba sur les pavés.

Au bord de la nausée, je vis le tueur ailé faire demi-tour et fondre sur nous. Étions-nous sa nouvelle proie ? Alors, je reconnus le prédateur.

– C'est Wynde, la sorcière lamia morte devant les murs de la tour Malkin, me confirma Thorne. Elle était notre amie dans la vie, elle le sera aussi dans la mort.

Grimalkin m'avait raconté cette bataille. Elle y avait assisté depuis les remparts, impuissante. Le kretch avait tué Wynde. Il lui avait dévoré le cœur, l'envoyant directement dans l'obscur. Mais la lamia avait combattu avec courage ; son adversaire ne l'avait vaincue qu'avec l'aide du mage Bowker et de trois sorcières, qui l'avaient frappée lâchement, à distance, avec des couteaux attachés à de longues perches.

Plus tard, Grimalkin les avait tous massacrés.

Wynde se posa près de nous.

– Toi qui vis et respires, pourquoi as-tu pénétré dans l'obscur ? me demanda-t-elle. Pourquoi avoir pris un tel risque ?

Sa voix gutturale articulait les mots avec difficulté. Lorsqu'une lamia revient à l'état sauvage, elle perd peu à peu l'usage de la parole. Dès qu'elle a repris sa forme ailée, elle le retrouve aussitôt, même si elle reste difficile à comprendre.

– Je suis venue chercher une arme nécessaire pour détruire le Malin, expliquai-je. Et le portail qui mène à son domaine est quelque part à l'intérieur de la basilique.

– Des ennemis t'attendent derrière cette porte.

Thorne se rembrunit.

– Tu as encore été trahie, Alice, mais ce n'est pas de ma faute, je te le jure. Les amies dont je t'ai parlé étaient des sorcières qui s'occupaient parfois de moi quand mon méchant oncle me battait. Je croyais pouvoir me fier à elles. Je suis désolée, j'ai été trompée une fois de plus.

– Tu as fait de ton mieux...

– Il existe une autre entrée, par le toit, indiqua Wynde. Je vous transporterai là-haut. Qui vient la première ?

– Vas-y ! m'ordonna Thorne. Tu n'as pas d'arme.

Sans me laisser le temps de discuter, Wynde battit des ailes et s'éleva devant moi, ses genoux écailleux à hauteur de mes yeux.

— Tiens-toi à mes jambes !

Dès que je me fus accrochée, elle s'envola. Le sol s'éloigna à une vitesse stupéfiante. La lamia fila au-dessus de la basilique, et ses ailes frôlèrent la tour. Puis elle les referma, et je crus que mon estomac se retournait tandis que nous tombions comme une pierre. Le toit monta vers nous.

À la dernière seconde, Wynde redéploya ses ailes, et je sentis le contact des tuiles sous mes pieds. Dès que je me fus posée, elle redescendit vers Thorne.

J'étais adossée à un énorme contrefort qui soutenait la tour carrée. Au-dessus de moi, un passage étroit entre deux toits pentus menait à un mur percé d'une petite porte.

Était-ce l'entrée dont Wynde avait parlé ? Du sol, on ne nous verrait pas, mais quelqu'un avait pu remarquer notre envol. On se précipitait peut-être déjà pour nous intercepter. Il n'y avait pas une seconde à perdre.

J'attendis avec impatience le retour de la lamia. Pourquoi était-elle si longue ? Si les chykes lançaient une nouvelle attaque, combien de temps résisterait-elle à une horde aussi sauvage ?

Enfin, un battement d'ailes me tira un soupir de soulagement. L'instant d'après, Wynde déposait Thorne près de moi. Planant au-dessus de nous, elle désigna la petite porte de sa main griffue :

– Voici l'entrée. Vous trouverez peut-être des alliés à l'intérieur, mais je ne suis pas sûre qu'ils puissent vous approcher.

Je la remerciai pour son aide.

– Tu me remercieras en trouvant ce que tu cherches et en détruisant le Malin, me cria-t-elle.

Sur ces mots, elle s'éleva dans les airs, contourna la tour et disparut.

Nous courûmes vers la porte. On n'y voyait pas de poignée. Si elle était verrouillée, le sortilège d'ouverture ne fonctionnerait pas ici...

Mais j'avais tort de m'inquiéter ; le battant céda à la pression de ma main et grinça sur ses gonds, découvrant un intérieur très sombre. Thorne passa devant moi. Elle franchit le seuil prudemment et chercha son chemin à tâtons.

– On dirait un escalier en colimaçon, me chuchota-t-elle. Il y a une rampe sur la droite.

Je rangeai ma chandelle inutile et entrai à mon tour. Je descendis les marches avec précaution, une main agrippée à la rampe. Je fus vite prise de claustrophobie, coincée dans le noir entre deux froids murs de pierre.

Malgré toutes nos précautions, nos souliers pointus claquaient sur les dalles, et j'espérais que personne ne nous guettait dans l'ombre : notre arrivée n'était guère discrète !

J'avais compté plus de deux cents marches quand je vis trembloter une lueur jaune, sur laquelle se découpait la silhouette de Thorne. Cette descente en spirale me donnait le tournis, et il faisait de plus en plus chaud, ce qui accentuait mon malaise.

Nous prîmes pied sur une étroite corniche, et le vertige me fit vaciller. L'espace autour de nous était immense, et le sol, très loin en dessous. On aurait dit une caverne gigantesque, et ma première pensée fut que ce bâtiment était plus grand au-dedans qu'au-dehors.

Puis je me rappelai la maison où Betsy Gratton gardait les sorcières d'eau : elle produisait la même impression. Le sol de la basilique aussi avait été creusé profondément.

Rien ne bougeait, mais je distinguais de nombreuses formes immobiles, sans doute les autels élevés aux Anciens Dieux de l'obscur.

– Où est le portail ? soufflai-je.

Je sus aussitôt que j'avais commis une erreur. Mon chuchotement, amplifié par l'espace, se répercuta d'un mur à l'autre. Allait-il révéler notre présence ?

Un doigt sur ses lèvres, Thorne m'indiqua le sol en contrebas.

Mais comment descendre ? La corniche courait le long du mur, toujours à la même hauteur. Thorne s'y aventura pourtant, à petits pas prudents. Je la suivis sans quitter des yeux son épaule droite, celle qui touchait la paroi, pour ne pas plonger le regard vers les abysses terrifiants.

Un passage en arcade apparut bientôt. Thorne le franchit en baissant la tête. Des marches descendaient dans la pénombre, de plus en plus larges, entre deux murs humides.

Une fois encore, la pensée me vint que quelqu'un guettait notre arrivée, que chacun de nos mouvements était épié.

Des lumières tremblotèrent au-dessous de nous, celles de chandelles dans des supports fixés au mur d'une salle.

Thorne me chuchota :

– On approche du portail. Mais, s'il est en bas, nos ennemis y sont aussi. Ils le contrôlent.

Elle continua la descente, d'un pas de plus en plus lent. Et s'arrêta soudain.

– Remonte ! s'écria-t-elle en se retournant vivement. C'est un piège ! On nous attend !

Trop tard ! De lourdes bottes firent résonner les marches derrière nous, celles d'une troupe nombreuse, bien trop nombreuse. Nous étions prises.

Tirant ses armes, Thorne dévala les derniers degrés. Je courus sur ses talons et comptai les occupants de la petite salle sans fenêtres.

Ils étaient trois.

Deux femmes vêtues de longues robes brunes, chaussées de souliers pointus à la façon des sorcières de Pendle. Et un semi-homme pourvu de tant de dents qu'elles débordaient de sa bouche.

Je retrouvais de vieux ennemis : Lizzie l'Osseuse, Mère Malkin et Tusk.

21

Une nouvelle menace

J'aurais dû me douter qu'au moins un des adversaires dont j'avais triomphé sur terre m'attendrait dans la basilique pour prendre sa revanche.

Tusk, le semi-homme, avait été tué par le vieux Gregory, l'épouvanteur de Chipenden. Peu après, Tom Ward avait affaibli Mère Malkin en l'aspergeant de sel et de limaille de fer; dans sa hâte de fuir, elle avait traversé la porcherie de la ferme des Ward. Les cochons affamés l'avaient dévorée tout entière, cœur compris, l'expédiant dans l'obscur pour toujours.

Le sel et le fer utilisés par Tom l'avaient fait rétrécir. À présent, après sa mort, elle restait réduite au tiers de son ancienne taille, sans être moins dangereuse pour autant.

Lizzie l'Osseuse, enfermée dans une fosse par John Gregory, avait été délivrée par les sorcières de Pendle quand la guerre avait éclaté. Notre ultime confrontation s'était déroulée sur l'île de Mona. Nous l'avions poursuivie, Tom et moi, et elle était tombée dans la mer du haut d'une falaise. Détruite par l'eau salée, son cœur probablement mangé par les poissons, elle aussi était retenue dans l'obscur et assoiffée de vengeance.

– Eh bien, petite, fit-elle avec jubilation, je vais enfin pouvoir te rendre la monnaie de ta pièce. À ton tour de souffrir !

Mère Malkin s'avança en traînant les pieds. Sa magie ne fonctionnait pas, ici ; mais cette vieille harpie avait été l'une des plus puissantes sorcières du Comté, et son corps difforme recelait encore une force surhumaine. Même si elle m'arrivait à peine aux genoux, elle tendait vers moi ses ongles crochus, et la soif de sang dansait dans ses yeux rougeoyants.

Je fis un pas en arrière, Thorne, un pas en avant.

– Voyez un peu ce que le chat nous apporte ! se gaussa Lizzie. Est-ce ainsi que tu tiens parole ? Morwène ne va pas être contente ! Pas contente du tout ! Elle pourrait bien te couper autre chose que les pouces !

Thorne ne gaspilla pas sa salive pour répondre. Sans même regarder Lizzie, elle bondit, une lame à la main, et décocha à Mère Malkin un coup horizontal qui ouvrit une bouche rouge dans son front fripé.

La sorcière recula avec un glapissement, aveuglée par le sang qui lui coulait sur le visage. J'attaquai à mon tour, et mes ongles manquèrent de peu les yeux de Lizzie.

Je n'eus pas le temps d'en faire plus. Tusk me saisit par-derrière, m'emprisonnant les bras, et me souleva de sorte que mes pieds ne touchaient plus le sol.

Je lui martelai les genoux du talon de mes souliers pointus, mais il me serrait si fort que je sentais mes côtes prêtes à se briser. L'air me manqua. Il allait me tuer. Mon seul espoir était que Thorne intervienne.

– Lâche-la ! Lâche-la ! hurla-t-elle.

– Alors, lâche tes armes ! siffla Lizzie.

Déjà, un voile noir me brouillait la vue. J'entendis le bruit métallique des lames tombant sur le sol. Puis celui de lourdes bottes qui dévalaient l'escalier et pénétraient dans la pièce.

C'en était fini de nous. Je ne rapporterais jamais le poignard. La seule chance de détruire le Malin était anéantie.

Quand je repris connaissance, j'étais allongée sur des pavés froids, face contre terre.

Une voix de femme s'éleva derrière moi :

– Elle est réveillée. Maintenant, elle va apprendre ce que souffrir veut dire.

Une douleur aiguë me traversa le côté : un coup porté par la pointe d'un soulier. Et j'avais reconnu la voix. La femme qui m'avait frappée était Lizzie l'Osseuse, ma propre mère.

Je me roulai en boule pour me protéger. Une main m'empoigna par les cheveux et me releva.

Une lueur de folie dans le regard, Lizzie me postillonna dans la figure :

– Maintenant, ma fille, tu vas payer !

Elle me secoua à m'en arracher la peau du crâne avant de me projeter dans les bras de Tusk. Un rugissement sortit de sa gueule ouverte. Le souffle de son haleine rance me balaya le visage et me donna la nausée. J'aurais pu compter les crocs jaunes qui lui garnissaient la bouche.

Je crus qu'il allait m'arracher le nez ou un morceau de joue. Au lieu de quoi, il m'adressa un sourire malveillant, me reposa sur mes pieds et me fit pivoter face à une porte sombre. Un coup d'œil vers les sorcières me révéla que Lizzie tenait dans chaque main une lame pointée vers moi.

C'était les armes de Thorne. Deux des espèces de brutes qui nous avaient suivies dans l'escalier l'encadraient. Une dizaine d'autres attendait derrière.

Je crus reconnaître certains des hallebardiers qui servaient Lizzie sur l'île de Mona, au temps où elle s'en était déclarée la souveraine.

J'échangeai un bref regard avec Thorne, et je compris que tout n'était pas perdu. Elle avait laissé tomber ses lames et s'était rendue pour me sauver. Sinon, je serais morte, les côtes brisées, étouffée entre les bras musculeux de Tusk. On l'avait alors désarmée – les fourreaux attachés aux lanières entrecroisées sur sa poitrine étaient vides.

Cependant, je savais que l'équipement de Thorne était semblable à celui de Grimalkin : un fourreau plus petit, dissimulé sous son bras gauche, contenait les ciseaux dont elle se servait pour couper les pouces des sorcières vaincues. Si je n'avais pas été entre les pattes de Tusk, elle aurait continué le combat, et je savais qu'elle le reprendrait à la première occasion.

Elle m'avait dit que le portail était quelque part dans cette salle. Je jetai un coup d'œil autour de moi sans le découvrir. À quoi ressemblait-il, d'ailleurs ? Ces ouvertures, manipulées par ceux qui les contrôlaient, pouvaient prendre bien des formes.

– Par là ! ordonna sèchement Lizzie en me poussant vers la porte.

Je pénétrai dans une autre pièce, longue et étroite – seules trois personnes pouvaient la traverser côte à côte. Un tapis d'un rouge sombre en recouvrait le sol. M'efforçant de dissimuler ma peur, je marchai devant, Lizzie, Tusk et Mère Malkin sur mes talons.

J'avançai ainsi, la pointe de deux poignards entre les omoplates, jusqu'à un renfoncement obscur. Je pensais y découvrir un trône, mais le personnage qui m'attendait était assis sur une simple chaise de bois à haut dossier. Avec son manteau à capuchon, il aurait pu passer pour un épouvanteur.

Un grand seau était posé de chaque côté de son siège. J'en devinai aussitôt le contenu.

Cette fade odeur métallique était reconnaissable entre toutes.

Les deux seaux étaient remplis de sang.

Tous les regards convergèrent vers le riche breuvage – la monnaie qui avait cours dans l'obscur. Mais le personnage assis releva lentement la tête, et deux yeux dorés me fixèrent dans l'ombre du capuchon. Deux yeux énormes, cinq ou six fois plus gros que ceux d'un visage humain.

Qu'était-ce donc ? Un autre semi-homme ?

D'un geste encore plus lent, il leva la main gauche. Ses longs doigts osseux, recouverts de courts poils noirs, repoussèrent la capuche.

Comment décrire cette face ? L'horreur de cette face ? Chacune des innombrables facettes de ses yeux proéminents me renvoyait l'image d'une fille terrifiée.

Il me fallut quelques instants pour comprendre que c'était mon propre reflet démultiplié.

La tête était celle d'une mouche gigantesque à la longue trompe ondulante. Ce monstre ne pouvait sortir que de mes pires cauchemars.

Je me souvins du jour où nous nous étions mises en route pour tuer le vieil épouvanteur, Jacob Stone. Lizzie avait décapité treize rats d'un coup de dents et attiré des hordes de grosses mouches, amassant ainsi assez de magie pour soulever les rochers et délivrer les sorcières mortes.

Lizzie m'avait appris que la source de ce pouvoir était un des plus fidèles serviteurs du Malin, qui siégeait à la gauche de son trône. Elle était apparemment devenue sa servante dans l'obscur.

J'étais devant Belzébuth, le Seigneur des Mouches.

La trompe du démon entrait et sortait, produisant une étrange vibration râpeuse. Essayait-il de me parler ?

Non. Il s'agissait d'une forme de communication, mais elle ne m'était pas adressée.

C'était un ordre.

Le Seigneur des Mouches convoquait ses troupes personnelles.

Ce fut d'abord un faible bourdonnement, qui monta peu à peu. Puis une mouche bleue presque aussi grosse qu'un bourdon se mit à tournoyer autour de ma tête, bientôt rejointe par une autre, une autre, et une autre encore. Elles sortaient de la cavité buccale de Belzébuth, de plus en plus nombreuses, de plus en plus grouillantes.

Je criai d'effroi. Je les revoyais, dans le jardin de Jacob Stone, couvrir le visage de Lizzie, se poser sur sa langue. Que pareille chose puisse m'arriver m'emplissait d'une terreur sans nom. Mais les mouches se détournèrent de moi pour descendre en deux vols bourdonnants vers les seaux de sang.

Elles ne cessaient de surgir de la bouche hideuse, et un sombre couvercle mouvant s'épaississait sur chacun des récipients.

Quelques instants plus tard, les deux essaims quittèrent les seaux, et leur masse vrombissante s'immobilisa à deux pieds de mon visage. Je reculai, aussitôt arrêtée par les deux pointes de poignard dans mon dos.

La nuée noire se disposa en ovale ; puis, à partir de cette forme d'œuf, une figure complexe apparut : une face énorme, au nez crochu, aux yeux proéminents, dont la bouche grande ouverte dévoilait deux rangées de dents pointues. Pire encore.

Les mouches qui s'étaient enfoncées dans les seaux, sous la pression de celles qui s'amoncelaient au-dessus, dessinaient à présent les lèvres et les dents ensanglantées de l'horrible visage.

Je détectai soudain une faible odeur de soufre. Le portail ne devait pas être loin. Je regardai autour de moi, à la recherche d'une lueur. Je ne vis rien.

La bouche remua, et le bourdonnement se modifia. Ça me parlait.

Tu es la fille de mon maître, déclara la voix éraillée. *Pourquoi l'as-tu trahi ? Pourquoi t'es-tu retournée contre lui ? Il aurait pu te donner tant de pouvoir ! Tu n'avais qu'à demander !*

Je secouai la tête.

– Je ne veux rien recevoir de lui. J'aurais préféré ne pas naître que de l'avoir pour père, et d'avoir pour mère la sorcière crasseuse qui se tient derrière moi !

Cette réplique me valut un violent coup de pied de Lizzie, mais je me mordis la lèvre pour ne pas crier. Je ne lui donnerais pas cette satisfaction.

Pourquoi es-tu ici ? reprit l'énorme bouche. *Pourquoi as-tu pénétré dans l'obscur ?*

Il me semblait que, après la mutilation que nous lui avions infligée, le Malin aurait dû deviner mes intentions et les faire connaître à ses serviteurs.

Peut-être ignorait-il notre volonté de le détruire au moyen du rituel ? Peut-être la mère de Tom avait-elle su lui dissimuler son plan ? Elle l'avait déjà entravé une fois ; or, il s'était emparé de la dague et l'avait emportée dans l'obscur. Si ses serviteurs ignoraient encore que j'étais venue ici pour lui enlever

Douloureuse, la troisième lame du héros, ils ne tarderaient pas à le découvrir. Mais ce n'était pas une raison pour le leur révéler.

Je n'avais aucune envie de les retrouver dans la salle où se dressait le trône du Malin quand j'y entrerais.

Il me restait un mince espoir : Thorne avait gardé ses ciseaux. Aurait-elle l'occasion de s'en servir avant qu'ils ne nous tuent toutes les deux ?

Moi aussi, je guettais une opportunité. Si ma magie était sans effet en ces lieux, je ne me laisserai pas massacrer sans résistance.

22

Les os de Belzébuth

— **R**éponds ! me siffla Lizzie à l'oreille. Ne le fais pas attendre ! Tu n'imagines pas de quoi il est capable !

Je te laisse une dernière chance, articula la bouche sanglante. *Je connais ta peur secrète. Garde le silence, et tu le regretteras !*

Ma peur secrète ? De quoi parlait-il ? Des peurs, j'en avais beaucoup : peur d'échouer dans ma quête de la dague ou de revenir trop tard pour procéder au rituel. Peur qu'il arrive quelque chose à Tom, que Grimalkin ne réussisse pas à garder la tête du Malin et que celui-ci reprenne possession de la Terre. Peur de manquer de courage quand Tom me prendrait mes os. Peur d'être frappée par la foudre, peur de...

Soudain, je sus à quoi le démon faisait allusion. Un souvenir fulgura dans ma mémoire, et je me mis à trembler. Une fois de plus, je vis Lizzie dans le jardin de Jacob Stone, la face couverte de mouches.

C'était ça, ma peur secrète : les horribles bestioles volantes ou rampantes. Et Belzébuth le savait ! Après les araignées, c'était les essaims de mouches que je craignais le plus. Je ne supportais pas l'idée de les sentir grouiller sur mon visage.

– Ne lui réponds pas ! me cria Thorne, toujours maintenue par les deux brutes.

Je lui adressai un bref hochement de tête. Elle avait raison. Je ne devais rien révéler des raisons qui m'avaient conduite dans l'obscur.

Alors, qu'il en soit ainsi ! proféra la bouche avant de se clore.

Je vis le visage se dissoudre pour redevenir la simple forme ovale dont il était né. Puis l'essaim s'éleva en vrombissant et convergea vers moi.

J'agitai les mains pour le chasser. En vain. Autant repousser des grêlons avec une aiguille à tricoter. En quelques secondes, ma tête et mon visage furent recouverts de mouches. Elles me fermaient les paupières, me zonzonnaient dans les oreilles, s'introduisaient dans mes narines. Leur poids m'obligeait à courber la nuque.

La panique s'empara de moi. Mon nez obstrué m'empêchait de respirer. Mais, si j'ouvrais la bouche, les mouches s'y engouffreraient.

J'en écrasai le plus possible, je me pinçai les narines avant d'éternuer violemment. Je n'eus qu'un instant de répit avant que les bestioles ne reviennent à l'attaque. Des mains puissantes se refermèrent sur mes poignets pour me maintenir les bras, m'ôtant mon ultime moyen de défense.

Je retins mon souffle aussi longtemps que je le pus, la poitrine en feu, tandis que les horribles insectes noirs pullulaient sur mon visage et dans mes cheveux.

Bientôt, je n'eus plus le choix.

J'ouvris la bouche pour aspirer une bouffée d'air.

Et j'aspirai les mouches.

Je voulus les recracher, mais elles se collaient sur ma langue, rampaient dans ma gorge. Je tombai à genoux et me mis à vomir, et vomir encore, ce qui me donna un deuxième instant de répit.

À peine m'étais-je empli les poumons que j'étouffais à nouveau. Les bras tordus derrière le dos, les yeux couverts d'une masse grouillante, incapable de respirer, je me sentis sombrer dans les ténèbres d'une lente agonie.

Soudain, le poids qui me courbait la tête s'allégea, j'aperçus entre mes paupières la lumière vacillante d'une torche. L'essaim s'était élevé au-dessus de moi et dessinait pour la deuxième fois une face gigantesque.

Crachant les dernières bestioles qui m'encombraient la bouche, j'aperçus du coin de l'œil Tusk, toujours derrière moi. Il me serrait les poignets, si fort que je sentais mes os craquer. Lizzie se plaça à ma droite, un sourire triomphal aux lèvres.

– Tu n'as jamais aimé les mouches, hein, petite ? Elles, en revanche, ont l'air de te trouver à leur goût !

L'énorme bouche s'ouvrit et gronda :

Maintenant, parle !

Je refusai d'un signe de tête, jetant à l'essaim un regard de défi.

Tu es brave, et capable d'endurer de dures épreuves, reprit la bouche. *Mais je perçois en toi une autre faiblesse, une autre peur : tu ne laisserais personne tourmenter quelqu'un que tu aurais le pouvoir de sauver. Faites approcher la deuxième fille !*

Lizzie s'écarta pour permettre aux deux brutes d'amener Thorne à côté de moi.

Cette fois, je ne fléchirai pas tant que tu ne m'auras pas dit ce que je veux savoir, tonna la voix. *Et, si tu refuses, celle que tu appelles ton amie connaîtra sa deuxième mort.*

Le hideux visage redevint un énorme œuf noir et s'éleva jusqu'au plafond. Puis l'essaim furieux fondit sur Thorne.

J'étais vaincue. Je devrais tout dire au démon.

Nous étions prisonnières, et nos chances d'achever notre quête paraissaient bien minces. Mon ultime espoir reposait sur Thorne et sur sa dernière arme : les ciseaux. En laissant les mouches l'étouffer, je lui ôtais toute chance de s'en servir. Alors, quelle importance si je révélais être à la recherche du poignard ?

J'ouvris la bouche, prête à avouer la vérité...

À cet instant, Thorne se libéra. Elle tira les ciseaux de leur fourreau. Mais, au lieu d'en frapper ceux qui l'avaient tenue, elle courut droit au siège sur lequel Belzébuth était assis.

En dépit de ses pouvoirs, il n'avait pu manipuler les mouches que parce qu'elles faisaient partie de lui. Elles étaient comme des membres surnuméraires, des particules de son être qu'il dirigeait à la force de son esprit.

Si nous avions été hors de la basilique, il aurait renversé Thorne de toute la puissance de sa magie, l'aurait projetée à travers la salle ou l'aurait carbonisée sur place. Mais, ici, même la magie d'un démon ne fonctionnait pas.

Thorne était leste. Elle prit Belzébuth par surprise. À la dernière seconde, il sauta sur ses pieds et tenta de parer l'attaque de la main gauche.

C'était une erreur. Sans doute la plus grave qu'il ait commise depuis les temps immémoriaux qu'il avait passés dans l'obscur.

Il n'avait jamais rencontré une humaine aussi brave, aussi vive, aussi redoutable que Thorne. Elle avait été formée par Grimalkin. Elle pensait comme Grimalkin. Elle se battait comme Grimalkin.

Et, comme Grimalkin, Thorne osait faire ce que personne n'aurait imaginé.

Les ciseaux flamboyèrent en accrochant la lumière des torches, leurs lames se refermèrent.

Et Thorne coupa le pouce gauche du démon.

Belzébuth hurla et leva sa main droite pour se protéger.

Elle lui trancha le pouce droit.

Elle attrapa au vol les deux pouces tandis que le démon reculait d'un pas vacillant, couinant tel un cochon qu'on égorge.

Je sentis alors de nouveau une faible odeur de soufre. Venait-elle du portail ?

Je reniflai rapidement trois fois. À ma grande surprise, mon attention fut attirée par l'essaim de mouches : son aspect se modifiait, il devenait autre chose...

Thorne pivota vivement pour faire face à un nouvel adversaire. Tusk se jetait sur elle avec un meuglement de taureau, tandis que Lizzie et Mère Malkin, sous le choc, paraissaient pétrifiées.

Je sus exactement comment Thorne allait frapper. Je revoyais John Gregory affronter le monstre dans le Comté. Il lui avait enfoncé la lame d'argent de son bâton en plein front. Tusk était tombé raide mort, le cerveau transpercé.

Thorne fit de même, mais avec ses ciseaux. Elle se jeta entre les bras musculeux qui cherchaient à la broyer. Et elle frappa. Les ciseaux restèrent plantés au milieu du front du semi-homme.

Il n'émit pas un son. Mais ses mains retombèrent de chaque côté de son corps. Puis il s'affaissa, les yeux déjà vitreux.

Thorne extirpa son arme du crâne de Tusk et la pointa vers l'essaim.

– Le portail ! cria-t-elle.

La masse de mouches n'avait plus ni la forme d'un œuf ni celle d'un visage. Elle s'était changée en trois larges cercles concentriques, dont la couleur passait du noir au bordeaux, tournant à toute vitesse dans le sens des aiguilles d'une montre. Et à l'intérieur de ces cercles je distinguais des colonnes, des arcades sombres...

Un autre domaine !

– Traverse, Alice ! me cria Thorne. Passe la première !

J'eus une seconde d'hésitation. Si je traversais et qu'elle ne me suive pas ?

Mais je devais trouver la dague. Notre avenir en dépendait. Lizzie et Mère Malkin se jetaient déjà sur moi, les ongles en avant.

Alors, prenant mon élan, je franchis d'un bond le portail de mouches.

23

L'œil de sang

Nous étions assises sur des tabourets de bois, devant un chaudron, et Thorne s'apprêtait à jeter les pouces du démon dans l'eau bouillante. Ajoutés à son collier, ces os lui donneraient un pouvoir qui augmenterait nos chances de succès et de survie.

Thorne avait traversé le portail à ma suite et, comme elle l'avait promis, nous nous trouvions enfin dans le domaine du Malin.

Impossible d'en douter : je reconnaissais l'odeur pénétrante – des relents de soufre auxquels s'ajoutait une pointe de brûlé. La lumière aussi était caractéristique, une étrange luisance cuivrée, comme si on regardait à travers d'anciens verres de couleur.

La seule différence avec mon premier séjour en ces lieux était l'absence de serviteurs. Les démons de rang inférieur qui m'avaient tourmentée n'étaient pas là. À cette heure, le domaine paraissait désert.

Nous nous tenions dans la vaste cuisine au sol carrelé d'un grand bâtiment – un château ou un lieu de culte comme celui que nous venions de quitter. Je ne l'avais jamais vu de l'extérieur, même si j'avais habité ses cachots et avais été traînée, menottée, à travers ses interminables couloirs suintant d'humidité.

Tous ces horribles souvenirs me revenaient par vagues.

La pièce était encombrée de chaudrons, de pots, de casseroles et de divers ustensiles, mais on ne voyait ni vivres ni cuisiniers.

Thorne laissa tomber les pouces dans l'eau bouillante.

C'est alors que je remarquai ses propres pouces. Ils étaient là, à croire qu'elle n'avait jamais été mutilée.

– Comment est-ce possible ? m'étonnai-je. Tu les as récupérés par magie ? Je croyais que c'était impossible, dans la basilique...

Elle eut un haussement d'épaules.

– C'est peut-être le résultat de quelque loi naturelle de l'obscur. Je suis arrivée ici sans pouces, puisque c'est leur perte qui m'a tuée. Mais, en prenant ceux de Belzébuth, j'ai récupéré les miens.

– Grimalkin serait fière de toi, déclarai-je. Elle-même n'a sûrement jamais coupé les pouces d'un démon !

– Mais elle a aidé à couper la tête du Malin, objecta Thorne avec un sourire.

Tout en regardant les morceaux de chair tressauter dans le chaudron, je m'interrogeai à voix haute :

– Comment l'essaim est-il devenu le portail ? Je sentais son odeur quand j'étais face à Belzébuth, mais je n'aurais jamais deviné que... Je pensais que les mouches étaient une part de lui...

– C'est ce qu'elles sont. Il a pris le contrôle du portail pour nous tromper. Quand je lui ai tranché les pouces, la douleur a perturbé sa concentration. Le portail s'est détaché, reprenant sa forme véritable, avec les mouches en guise d'encadrement.

– Tu savais que ça se passerait comme ça ?

– C'était un coup à tenter. J'ai simplement appliqué une des règles que Grimalkin m'a enseignées : quand tu affrontes plusieurs ennemis, frappe d'abord le plus fort.

Bientôt, la chair poilue se détacha des os, qui se mirent à danser dans l'eau bouillante. Thorne se leva et se pencha au-dessus du chaudron, concentrée sur la tâche à accomplir.

Elle devait ignorer la brûlure et retirer les os en même temps. Qu'un seul retombe, et la magie serait perdue.

Elle fit un geste rapide, puis elle me regarda avec une expression de triomphe, un os de pouce du démon dans chaque main.

Il lui fallut encore une demi-heure pour y percer un trou minuscule avec un outil spécial, long, très fin, à la pointe très dure.

J'avais hâte de partir à la recherche de la salle du trône où la dague était cachée. Néanmoins, je contins mon impatience. Ces os allaient considérablement augmenter les forces de Thorne, et nous en aurions grand besoin.

Quand elle eut terminé, elle les ajouta à son collier.

– Ils doivent renfermer plus de pouvoir que ceux de la plus puissante sorcière, fis-je remarquer.

– J'aimerais mieux ne pas avoir à m'en servir. Tout est trop tranquille, ici ; ça ne va pas durer.

Une question me vint alors :

– Pourquoi nos poursuivants n'ont-ils pas franchi le portail derrière nous ?

– Il se refermait déjà quand j'ai sauté au travers. Mais il se rouvrira, et ils passeront.

– Ils savent qu'il conduit au domaine du Malin ?

– Les portails ne mènent pas *toujours* au même endroit. Si celui-ci se déplace avant qu'ils puissent le retrouver, ils ne sauront pas où nous sommes parties. Ils devront utiliser une énergie magique considérable pour nous localiser. Et, pour cela, il faudra qu'ils sortent de la basilique. Sais-tu où est la salle du trône ?

Je secouai la tête.

– Je n'y suis jamais entrée. Du moins, je ne m'en souviens pas. L'horreur dans laquelle j'étais plongée m'a brouillé la mémoire.

– Donc, résuma Thorne, on cherche deux choses : la dague et le portail qui nous fera sortir d'ici.

C'était plus facile à dire qu'à faire. Nous quittâmes la cuisine, descendîmes trois volées de marches jusqu'à une cour intérieure dans laquelle s'ouvraient trois passages. Nous choisîmes celui du milieu, le plus large, au plafond voûté.

Au bout d'une course interminable, nous ne savions toujours pas où il menait.

– Ce domaine est immense, fit observer Thorne. On pourrait l'arpenter des années sans rien trouver.

Il nous fallait pourtant continuer. Quand nous débouchâmes enfin au bout du corridor, ce que je découvris me fit très mauvaise impression.

Nous étions dans un vaste espace circulaire, surplombé d'un dôme d'une telle hauteur qu'on croyait regarder les nuages.

Devant nous s'étendait un lac lugubre, dont les eaux lisses et grises évoquaient une surface de verre, et qui semblait assez profond pour cacher n'importe quoi. Il occupait presque toute la superficie de la salle ; seul un étroit sentier partait sur la gauche, suivant la paroi de pierre incurvée.

Un cri tomba soudain des hauteurs – celui d'un vultrace. Levant les yeux, nous vîmes l'oiseau planer sous le dôme. Puis il décrivit un arc de cercle et se dirigea vers le centre du lac.

– C'est probablement le compagnon familier de Morwène, dis-je. Elle a trouvé ici le repaire idéal.

– Tout à l'heure, quand nous avons entendu ce cri, nous étions dans l'autre domaine, objecta Thorne. Comment Morwène nous aurait-elle suivies, puisque le portail s'est refermé derrière moi ?

– Elle a eu tout loisir de le franchir avant notre face-à-face avec Belzébuth. D'ailleurs, elle ne s'est pas montrée quand tu as tué Betsy et ses servantes. Elle devait déjà être loin.

– Elle savait où nous allions ?

– Elle l'a sans doute deviné. En tant que fille loyale du Malin, elle bénéficie sûrement de plus d'informations que ses simples serviteurs. Peut-être connaît-elle l'existence de la dague dont la mère de Tom s'est servie autrefois contre son père ? N'oublie pas qu'elle a été la première avertie de mon entrée dans l'obscur.

– Même si Morwène est ici, déclara Thorne avec assurance, ensemble, nous saurons l'affronter.

Je compris qu'elle se sentait encore coupable de m'avoir trahie, sous l'investigation de Morwène et Betsy.

– Elle ne peut utiliser son œil de sang que contre un seul adversaire à la fois, me rappela Thorne. Grimalkin m'a raconté comment elle avait combattu les sorcières d'eau avec Tom. Ils s'étaient placés devant Morwène, et elle avait paralysé Grimalkin. Tom, lui, restait libre de ses mouvements. Il a entravé la sorcière avec sa chaîne d'argent, ce qui a libéré Grimalkin. Et elle a pu abattre la créature. Nous emploierons la même tactique : quand elle aura immobilisé l'une de nous, l'autre la tuera. Ainsi, elle sera définitivement morte ; elle ne reviendra plus.

À l'écouter, ça paraissait simple. Mais Morwène était dangereuse, même pour une tueuse de la force de Thorne. Quand elle ôtait l'aiguille en os qui maintenait sa paupière gauche fermée, un seul regard de son effroyable œil de sang vous clouait sur place.

J'espérais qu'elle me paralyserait, pour que Thorne n'ait plus qu'à la tuer. Je ne voulais pas la détruire par magie à moins d'y être absolument obligée.

Thorne se tourna vers moi.

– Alors, qu'est-ce qu'on fait ? On revient sur nos pas ou on suit le sentier autour du lac, au risque d'être attaquées ? C'est toi qui décides, Alice. Mais ne traîne pas ! Tu ne peux pas rester dans l'obscur trop longtemps, tu le paierais très cher. Et qui sait combien d'heures ou de jours se sont écoulés dans le monde extérieur ?

Elle avait raison. Je n'avais pas droit à l'hésitation. Ma décision fut vite prise. La simple idée de repartir en arrière me consternait.

– On suit le sentier, dis-je.

Thorne partit la première, une lame dans chaque main.

Le sol était sec, car l'eau était à un pied en dessous.

Nous avançâmes d'un bon pas pendant plusieurs minutes. Où le sentier nous conduisait-il ? Nous n'en avions aucune idée. Soudain, un brouillard se forma au milieu du lac ; ses tentacules ondulants qui serpentaient à la surface rampaient vers nous.

– Plus vite ! cria Thorne.

Nous nous mîmes à courir, mais le brouillard fut bientôt si épais que nous dûmes ralentir. Je distinguais à peine la silhouette de Thorne, à deux pas devant moi.

Pour tout arranger, le chemin déjà étroit se rétrécit et devint glissant. Il était au niveau du lac, à présent, et présentait parfois des creux où nos souliers pointus pataugeaient dans une eau bourbeuse.

Je m'attendais à chaque seconde à voir surgir Morwène. Par chance, après quelques passages difficiles, le sentier s'élargit de nouveau. Nous marchions sur un sol caillouteux, et je ne sentis plus le contact du mur contre lequel mon épaule s'écorchait un peu plus tôt.

Un espace s'était ouvert à notre gauche, mais de quelle dimension ? Et où menait-il ?

La brume étant toujours aussi dense, j'étendis la main devant moi pour tâter un éventuel obstacle. À mesure que nous nous éloignions de la rive du lac, ma peur de la sorcière d'eau s'apaisait lentement.

L'attaque nous prit par surprise, sans le plus petit avertissement.

Morwène ne se cachait pas dans le lac. Bien que s'aventurant rarement hors de l'eau, elle nous guettait sur la terre ferme.

Elle surgit du brouillard, juste en face de moi, ses pieds griffus et palmés accrochés aux cailloux. Sa jupe et sa blouse étaient couvertes de vase. Sa bouche ouverte révélait quatre longs crocs jaunes, et son nez dépourvu de chair n'était qu'un morceau de cartilage triangulaire.

Je notai tout cela le temps d'un battement de cœur. Puis un autre détail attira mon attention.

La paupière gauche était libérée de l'aiguille d'os. L'œil de sang me fixait.

Mon souhait était exaucé ; j'étais la proie.

24

La salle du trône

J e restai pétrifiée, figée sur place. L'œil sanglant
paraissait grandir, grandir. Malgré ma peur, je me
sentais détachée, tant je me fiais à Thorne.

Puis je pris conscience que Morwène n'était pas
seule. D'autres sorcières d'eau surgissaient et se
jetaient sur Thorne, qui reculait devant la férocité de
cet assaut de griffes et de dents. Sa bravoure et son art
du combat ne suffiraient pas à vaincre un tel nombre
d'assaillantes assez vite pour venir à mon secours.

Quand Morwène fit un pas vers moi, les ongles en
avant pour déchirer ma chair, la terreur m'envahit.
Je respirais déjà l'haleine fétide de la sorcière, je
voyais ses crocs prêts à mordre. L'esprit aussi paralysé

que le corps, je n'avais plus aucune volonté. Même si je l'avais voulu, j'aurais été incapable d'invoquer ma magie. C'était fini.

J'avais espéré offrir ma vie à Tom pour que ma mort serve à détruire le Malin. Et j'allais mourir pour rien. Tout ce que j'avais accompli depuis le jour de ma naissance, je l'aurais accompli en vain.

Je remarquai alors un phénomène dont je ne comprenais pas le sens...

Quelque chose sortait de la bouche ouverte de Morwène.

Je crus d'abord qu'il s'agissait de sa langue – un attribut des sorcières d'eau que je n'avais pas encore vu. C'était pointu, rigide. Et couvert d'un liquide rouge.

Un flot de sang jaillit de la bouche de Morwène, cascada le long de son menton ; l'œil maléfique n'était plus fixé sur moi. Les deux yeux fermés, elle hurla.

Ayant retrouvé l'usage de mes membres, je bondis hors de sa portée. Elle pivota sur elle-même, et je compris ce qui lui était arrivé.

Un énorme skelt avait surgi dans son dos et lui avait transpercé la nuque de son long tube osseux, qui lui ressortait par la bouche. Morwène tituba, s'effondra, face contre terre. Le skelt retira son appendice et la frappa une deuxième fois entre les omoplates. Le tube translucide prit aussitôt une teinte vermillon.

Les autres sorcières, qui s'étaient élancées à son secours avec des glapissements de rage, se trouvèrent à leur tour en fâcheuse posture. De nombreux skelts galopaient dans leur direction, chacun d'eux visant sa proie.

Le brouillard se dissipait ; sans doute était-il né de la magie de Morwène. Un skelt arrivait de toute la vitesse de ses pattes articulées. Il était si rapide que j'eus à peine le temps de l'esquiver. Mais il me frôla à moins d'une main de distance, sans même me regarder. Toute son attention était dirigée vers les sorcières d'eau, qui tentaient désespérément de fuir.

– Alice !

D'une de ses lames rougies, Thorne désigna le mur de pierre, et j'aperçus un étroit passage voûté que le brouillard avait dissimulé jusqu'alors. Nous y courûmes et nous retrouvâmes dans une vaste antichambre ovale, où s'ouvraient trois autres passages semblables.

Lequel menait à la salle du trône ? Peut-être aucun des trois ! Néanmoins, ils paraissaient plus sûrs que les rives du lac.

– Je vais les renifler à tour de rôle, dis-je à Thorne.

Le long flair donne parfois de bons avertissements. Il nous permettrait au moins d'éviter d'aller droit au danger. Mais, avant même que j'aie commencé, quelque chose bougea dans l'ombre.

Un skelt.

Ses armes à la main, Thorne vint se placer entre l'affreuse créature et moi. Le skelt marqua un arrêt et parut nous observer. Peut-être avait-il eu son comptant de sang ?

Brusquement, il courut vers la galerie de gauche. À l'entrée, il s'arrêta encore. Il se retourna pour nous jeter un dernier regard avant de disparaître.

Reprenait-il le chemin par lequel il était venu ? Alors d'autres allaient le suivre, et certains seraient peut-être encore affamés.

Il se produisit alors une chose curieuse : le skelt ressortit lentement du passage, ses gros yeux rouges fixés sur nous, avant de s'y engouffrer de nouveau. Nous ne bougions pas.

Je surveillais l'entrée de la salle au cas où ses comparses surgiraient. Thorne ne quittait pas du regard le passage que le skelt solitaire avait emprunté.

Pour la deuxième fois, la créature revint sur ses pas. Elle nous dévisagea intensément, de ses yeux semblables aux rubis sur les épées du héros.

J'avais toujours trouvé étrange qu'un skelt orne les pommeaux de ces armes. Fallait-il y voir une connexion ? Douloureuse, la dague que je devais rapporter, portait-elle le même motif ?

– Je crois qu'il nous invite à le suivre..., dis-je lentement.

– Pourquoi un skelt ferait-il ça ? objecta Thorne. Si nous le suivons, les autres arriveront derrière nous, et nous serons prises au piège.

– Il veut peut-être nous conduire à la salle du trône.

– Pourquoi nous aiderait-il ?

– Les créatures de l'obscur ne sont pas toutes soumises au Malin. Tu as vu ? Les skelts ne nous ont pas attaquées. Ils n'ont tué que les sorcières d'eau.

Thorne semblait indécise.

– C'est juste. Mais ceux qui sont sortis du lac brûlant ne se sont pas montrés particulièrement amicaux. S'ils nous avaient rattrapées, ils nous auraient vidées de notre sang.

– Ils étaient sans doute affamés. Ceux du domaine du Malin sont peut-être différents. Peut-être sont-ils divisés en clans adverses, comme les sorcières, certains étant pour le Malin et d'autres contre lui ? Ça vaut le coup de prendre le risque, non ?

Sans attendre de réponse, je traversai la salle à grands pas et pénétrai dans la galerie. Les souliers pointus de Thorne claquèrent bientôt derrière moi. Nous marchâmes un moment en silence. Il faisait de plus en plus noir ; je sortis de ma poche mon bout de chandelle et l'allumai d'un simple souhait. Ce n'était qu'une infime dépense de magie, et mieux valait voir si d'éventuels dangers nous attendaient.

La galerie nous conduisit jusqu'à un immense espace caverneux. Je levai ma chandelle, mais sa faible lumière semblait une luciole solitaire au cœur d'une sombre forêt. J'eus d'abord du mal à me repérer. La salle était énorme, plus longue que large.

En levant les yeux, je découvris des tentures pendues aux poutres de bois du plafond voûté, très loin au-dessus de nos têtes.

Nous étions enfin dans la salle du trône. Aucun doute possible : tout, dans ce lieu gigantesque, était fait pour conduire au trône. Le chemin qui y menait n'était fait ni de marbre ni de tapis, mais d'une herbe fleurie.

Il y avait des primevères, des narcisses, des boutons d'or et une multitude d'autres fleurs jaunes que je ne connaissais pas, et qui emplissaient l'air de parfums. C'était étrange, plus approprié au domaine de Pan qu'à celui du Malin.

Les choses s'étaient peut-être transformées en l'absence du maître des lieux. Puis un bourdonnement d'insectes qui me rappelait Belzébuth me donna la chair de poule. Mais il évoquait plutôt des moucherons par un beau soir d'été que les horribles mouches noires qui m'avaient empli la bouche et le nez.

Bien des prisonniers terrifiés avaient dû être traînés dans cette salle pour subir le courroux du Malin. Quant à moi, je n'y étais jamais venue.

J'avançai sur le chemin herbu, élastique et doux sous les pieds. Et le trône s'éleva devant moi, en partie dissimulé par les rideaux diaphanes qui descendaient presque jusqu'au sol. Je crus d'abord qu'il n'était qu'à quelques pas avant de comprendre mon erreur : la distance qui me restait à parcourir était au moins à multiplier par dix.

Je me souvins que le Malin changeait de taille à volonté. Lorsque je l'avais rencontré, il faisait environ trois fois la taille d'un homme.

Après la bataille contre les sorcières sur la colline de Pendle, il avait tenté de tuer Tom. Celui-ci avait trouvé refuge dans le grenier de la ferme familiale. Cette pièce étant protégée par la magie de sa mère, le Malin n'avait pu y pénétrer. Mais, après cela, une sombre cicatrice avait marqué la pente sud de la colline du Pendu, traces de la route qu'il avait prise pour attaquer la ferme. Les larges rangées d'arbres abattus sur son passage témoignaient de son énormité.

Ici, les dimensions de ce trône faisaient frémir. L'être qui s'y asseyait, dans sa redoutable majesté, pouvait enfourner un humain entier dans sa bouche. Il était plus grand que le plus grand arbre du Comté.

Thorne sur mes talons, je continuai d'avancer avec toute la bravoure dont j'étais capable. De toute façon, le Malin n'était pas là. Grimalkin transportait toujours sa tête dans un sac de cuir. Il était pris au piège dans sa chair morte.

Quand je frôlai la première tenture, je fis halte, les genoux tremblants. Ce n'était pas un rideau, mais une toile.

– Quelle sorte d'araignée a pu tisser des filets aussi gigantesques ? soufflai-je.

Ce fut Thorne qui prononça son nom :

– Raknid.

25

L'Épreuve

À cette seule évocation, de terribles souvenirs me remontèrent en mémoire. J'avais connu Raknid au temps où je vivais avec Lizzie, un mois avant la découverte de l'œuf de cuir et notre rencontre avec Betsy Gratton.

Pendant l'*Épreuve*.

– J'ai une grande nouvelle pour toi, petite, m'avait annoncé Lizzie un matin. Dans une semaine, la nuit de Lammas, tu vas subir l'Épreuve.

Lammas était l'un des quatre principaux sabbats des sorcières, durant lesquels étaient invoquées de formidables forces magiques qui rendaient les clans de Pendle plus dangereux que jamais.

Je n'aimais pas l'expression qu'affichait Lizzie. Chaque fille suivant la formation de sorcière devait se soumettre à ce rituel, mais le déroulement en demeurait secret ; rien ne se transmettait de sorcière à sorcière.

– Je ne suis pas une Malkin, protestai-je. Si ma mère était une Malkin, mon père était un Deane. Je suis Alice Deane, je n'ai donc pas à passer ce test !

Lizzie m'adressa un étrange sourire.

– C'est avec moi que tu vis et c'est moi qui te forme. Ça fait de toi une Malkin, autant l'admettre, petite !

Aujourd'hui, alors que bien des années ont passé, je sais ce qui amusait Lizzie. J'appris plus tard qu'elle était ma mère et que j'avais été engendrée par le Malin en personne. Mais, à cette époque, je l'ignorais.

Je m'inquiétai donc surtout de l'Épreuve. D'un côté, je préférais ignorer en quoi elle consistait ; d'un autre, je me préparais au pire.

– Sur quoi va porter le test ? demandai-je.

– Sur deux choses. On déterminera d'abord quelle magie te convient : celle des ossements, celle du sang ou celle des compagnons familiers. On cherchera ensuite à savoir quelle puissance sera la tienne une fois que tu seras devenue sorcière.

La bouche sèche, je posai une autre question :

– Et en quoi consistent les épreuves ?

Lizzie grimaça un autre sourire ; la peur qu'elle lisait sur mon visage la mettait en joie.

– Tu le sauras cette nuit-là. En attendant, tu as trois règles à respecter. Premièrement, à partir de cet instant, tu ne te laveras plus. Lorsqu'une semaine de crasse aura séché sur ton corps, tu seras prête.

– Pourquoi faut-il que je sois sale ?

– Magie noire et malpropreté vont de pair, je croyais que tu le savais. Plus crasseuse ta peau, plus noire et plus forte ta magie. Deuxièmement, tu ne mangeras aucune viande, pas même une soupe grasse. Et troisièmement, demande-toi avec quoi tu désires travailler en tant que sorcière : le sang, les ossements ou un compagnon familier. Car tu devras exprimer ton choix.

La nuit qui précéda l'Épreuve, je ne pus fermer l'œil. L'angoisse me tordait l'estomac. Certaines personnes disent avoir des papillons dans le ventre quand elles sont nerveuses. Moi, il me semblait que des serpents grouillaient dans mes entrailles.

Je me levai à l'aube, ce qui me laissait une journée interminable avant le crépuscule et l'heure de l'Épreuve. J'aurais voulu me laver, mais Lizzie me l'avait formellement interdit.

J'avais les cheveux poisseux, la peau grisâtre. La tête me démangeait, et je ne cessais de me gratter, ce qui ne faisait qu'empirer les choses.

Les Deane ne s'approchaient jamais de la tour Malkin. S'ils s'y étaient risqués, ils auraient eu peu de chance d'en ressortir vivants. Il courait d'effroyables histoires sur des salles souterraines imprégnées de sang, où les Malkin torturaient leurs ennemis avant de les jeter dans de sombres cachots où ils mouraient de faim.

La journée s'écoula, et nous nous mîmes enfin en route, traversant le bois des Corbeaux jusqu'à la sinistre tour de pierre. C'était une bâtisse effrayante, trois fois plus haute que les arbres. Avec ses créneaux, ses étroites fenêtres en arceau, ses douves et son pont-levis, elle avait l'aspect d'une forteresse. La porte massive qui fermait la tour était close. Elle était cloutée de fer, un métal dont les sorcières ne supportent pas le contact.

Lizzie s'engagea sur le pont-levis, et je la suivis à contrecœur. Quelqu'un lui fit signe du haut du rempart – sans doute une des sorcières de son Conventus. L'instant d'après, de lourds verrous furent tirés, et la porte pivota lentement en grinçant sur ses gonds.

Nous entrâmes ; la porte se referma derrière nous. Je restai là, debout. La fumée qui emplissait la vaste pièce ténébreuse me piquait les yeux.

Je reconnus quelques visages que j'avais croisés dans les rues du village. Mais la plupart m'étaient totalement étrangers, et je me demandai s'il arrivait à ces sorcières de quitter la tour.

J'avais la bouche sèche, mon cœur cognait à m'en briser les côtes. Dans un coin où des marmites chauffaient sur des feux, je remarquai un tas d'ossements. Certains provenaient d'animaux, d'autres paraissaient humains.

Il régnait là une puanteur de corps mal lavés et de graisse rance. Des paillasses recouvertes de draps sales étaient empilés sur le sol, le long d'un mur – apparemment les lits des sorcières. Au milieu de la pièce, un gros chaudron bouillonnait sur un autre feu.

Le Conventus m'examinait avec curiosité. Les sorcières, la face striée de crasse, vêtues de longues robes malpropres, dégageaient une piquante odeur de sueur. Lizzie avait dit vrai : saleté et magie noire allaient vraiment de pair.

Or, une grande femme se tenait à l'écart, propre, l'œil brillant. Elle n'était pas l'un des treize membres du Conventus. À des lanières de cuir entrecroisées sur sa poitrine pendaient des fourreaux qui contenaient ses lames. Et tout le monde savait qu'elle portait sous son bras gauche, dans un fourreau spécial, la paire de ciseaux dont elle se servait pour couper les pouces de ses ennemis.

Je ne l'avais encore jamais rencontrée, mais ce devait être Grimalkin, la tueuse du clan Malkin.

Nos regards se croisèrent, et elle me sourit. Je vis que, derrière ses lèvres peintes en noir, ses dents étaient limées en pointes.

Lizzie m'attrapa par l'épaule pour me conduire jusqu'au mur du fond, où une vieille aux longs cheveux blancs nous observait : Maggie Malkin, la chef du clan. Celle-là, je la connaissais de réputation.

Elle me toisa d'un air mauvais, et sa main se referma sur mon bras juste au-dessus du coude. Elle me serra si fort que je lâchai un cri.

– Plutôt maigriotte, hein ? commenta Maggie. Pas beaucoup de chair sur de bien petits os ! Lui as-tu dit ce qui arrivera si elle échoue au test ?

Lizzie m'adressa une grimace railleuse.

– J'ai préféré te laisser ce plaisir, Maggie, et ne pas empiéter sur tes privilèges.

Ce ton doucereux m'étonna. Je compris que, face à un groupe de sorcières aussi redoutables, Lizzie n'était pas à l'aise, en dépit du mal qu'elle disait d'elles en privé.

Avec un hochement de tête approbateur, Maggie me tira vers le gros chaudron, au centre de la pièce. À côté, sur une table, étaient alignées plusieurs petites boîtes et trois coupes en bois, recouvertes chacune d'un linge rouge. Près de la table, il y avait aussi une sorte de haut coffre dissimulé sous un morceau de soie noire. Je me demandai ce qu'il contenait.

Je tentai un timide reniflement pour découvrir un indice quelconque, sans rien obtenir en retour. Le Conventus avait sûrement créé un sort puissant pour tenir en échec les curieuses dans mon genre.

Deux autres filles attendaient dans la salle, l'air aussi effrayées que moi. Maggie me poussa vers elles. Je les avais déjà croisées, mais nous ne nous étions jamais parlé. La grande s'appelait Marsha, et la petite, Gloria.

Le Conventus se déploya en cercle autour de nous. Je sentais Lizzie derrière moi, les yeux fixés sur ma nuque.

– À qui appartiennent ces filles ? Qui les a formées ? demanda Maggie d'une voix forte.

En réponse, Lizzie posa la main sur mon épaule gauche. Bien que m'efforçant de regarder droit devant moi, je devinai que deux autres Malkin avaient fait de même pour Marsha et Gloria.

– Je vois trois filles devant moi, clama Maggie. Trois filles apeurées, et il n'y a pas de honte à ça. Car ce sera encore plus terrible qu'elles ne l'imaginent. C'est cruel à dire, mais l'une d'entre elles mourra cette nuit !

À ces mots, toutes les sorcières poussèrent un tel glapissement que les os empilés, dans leur coin, vacillèrent et roulèrent sur les dalles.

Un frisson de pure terreur me courut le long du dos. Je m'attendais à passer des moments difficiles, pas à risquer la mort ! Comment la victime serait-elle désignée ?

– On testera chacune de vous deux fois, expliqua Maggie. D'abord pour déterminer quel type de magie lui convient. Puis pour évaluer ses pouvoirs futurs. C'est alors que l'une de vous devra mourir, afin que sa force soit absorbée par les deux autres. Il en a toujours été ainsi. Bien ! Avez-vous des questions, avant que nous entamions le rituel ?

Son regard brûlant nous fixa l'une après l'autre.

Je ne voyais pas l'intérêt de l'interroger, car ça ne changerait pas notre situation, et j'aimais autant ne rien savoir.

Aussi, je fus étonnée d'entendre Marsha s'écrier :

– Je sais déjà ce qui me convient : le sang !

Je crus que Maggie lui ordonnerait sèchement de se taire : c'était sûrement le Conventus qui décidait pour nous. Au lieu de quoi, elle sourit, s'avança vers la table et éleva l'une des coupes.

– C'est un plaisir de voir une jeune sorcière potentielle avoir déjà conscience de ce qui est bon pour elle ! déclara-t-elle en ôtant le linge et en tendant la coupe à Marsha.

Celle-ci la porta à ses lèvres, et une odeur cuivrée me monta aux narines. C'était du sang humain, je le sentais. Peut-être celui de quelque prisonnier enfermé dans les cachots souterrains.

Je regardai Marsha avec dégoût. Elle buvait si goulûment que des filets rouges dégoulinaient au coin de ses lèvres et lui coulaient sur le menton. D'un air satisfait, elle tendit la coupe vide à Maggie, qui la reposa sur la table. Elle prit alors la deuxième coupe et la donna à Gloria.

À la mine de la fille, je compris que le breuvage lui répugnait. Je dois reconnaître qu'elle fit de son mieux. Se bouchant le nez avec les doigts, elle approcha par deux fois la coupe de sa bouche avant de l'éloigner, prise d'un haut-le-cœur.

Elle réussit enfin à avaler une gorgée, mais son estomac se contracta. Une vomissure sanguinolente éclaboussa le sol devant les pieds de Maggie.

La sorcière jeta à la pauvre fille un regard courroucé avant de lui arracher la coupe des mains. Elle m'offrit alors la troisième coupe ; mais, croisant les bras, je secouai la tête.

— Je ne serai pas ce genre de sorcière. Rien qu'à l'odeur, je sais que le sang n'est pas pour moi.

— Tu vas essayer, petite, ça vaudra mieux pour toi, gronda Maggie. Sinon, on te le versera de force dans la gorge.

Je sentis que l'avertissement n'était pas à prendre à la légère. À contrecœur, j'aspirai une minuscule gorgée. C'était salé, tiédasse, avec un arrière-goût métallique. Il n'était pas question que j'avale ça, et je recrachai tout.

Je crus un instant que Maggie allait mettre sa menace à exécution et m'obliger à boire le reste. Mais elle se contenta d'un froncement de sourcils et me reprit la coupe pour la reposer sur la table. Elle ouvrit alors l'une des petites boîtes et revint vers moi en ordonnant :

– Prends ça dans ta main gauche !

Et elle plaça dans ma paume une paire d'os de pouce.

– Serre-les fortement. Puis dis-moi à qui ils appartenaient et comment cette personne a trouvé la mort.

J'avais souvent pratiqué cet exercice avec Lizzie. J'obéis donc, et tressaillis au contact des os. Ils étaient aussi froids que des glaçons.

Les images d'un meurtre atroce fulgurèrent dans ma tête. Un prêtre qui suivait un sentier à travers bois se dirigeait vers un pont enjambant une rivière tumultueuse. Il faisait nuit, seul un mince croissant de lune projetait sur le sol l'ombre mouvante des feuilles. Le marcheur se retourna, et ses yeux s'agrandirent d'effroi. Trois sorcières le suivaient.

Il se mit à courir. S'il parvenait au cours d'eau, il serait sauvé, car les sorcières ne pourraient pas le traverser. Mais il était trop vieux, elles eurent vite fait de le rattraper.

Je reconnus deux des sorcières : l'une était Maggie, l'autre, Lisa Dugdale – une femme acariâtre qui n'avait jamais appris à sourire. Elles le jetèrent à terre, et il hurla quand elles lui coupèrent les pouces. Il avait dans son sac un grand calice ; elles s'en servirent pour récolter son sang. Après quoi, elles firent rouler son corps dans la rivière, et le courant l'emporta.

La dernière vision que j'eus de lui fut celle de ses yeux morts fixant la lune.

Je pris soudain conscience que ce meurtre avait été commis la nuit précédente. Non seulement je tenais des os dont la chair avait été bouillie moins d'une heure plus tôt, mais c'était le sang de ce malheureux qu'on m'avait forcée à boire !

– Eh bien, petite ? m'interrogea Maggie.

– Ces os appartenaient à un vieux fermier. Il a été encorné par un taureau. Tandis qu'il agonisait, une sorcière les lui a pris.

J'avais menti, car je ne voulais en aucun cas devenir une sorcière des ossements. Elles tuaient des gens – souvent des enfants – pour utiliser leurs os dans leurs rituels. Jamais je ne ferais une chose pareille.

– Foutaises ! aboya Maggie.

Elle me retira les os pour les tendre à Gloria, qui se mit à rouler les yeux et à claquer des dents à l'instant où elle les toucha.

– Ce sont ceux d'un prêtre, s'écria-t-elle. Je n'ai pas aimé son sang, mais j'adore ses vieux os !

Maggie eut un large sourire.

– Eh bien, ils sont à toi, ma fille ! Garde-les ! Tu deviendras une sorcière des ossements.

Puis elle pivota vers moi

– Qu'allons-nous faire de toi, Alice Deane ? Il te reste une dernière chance. Si tu échoues, tu ne seras jamais sorcière. Et, si tu ne peux être sorcière, mieux vaudra pour toi être morte. Tel sera ton destin.

Elle prit une autre boîte sur la table, l'ouvrit et fit tomber quelque chose sur le sol.

– Ceci pourrait être ton compagnon familier. Voyons un peu si tu lui plais !

Je regardai, horrifiée, ce qui se tortillait à mes pieds.

Depuis toujours, j'avais la phobie des insectes. Je faisais souvent le même cauchemar, où j'étais dans mon lit, les yeux fixés sur un plafond couvert de toiles. Paralysée de terreur, j'attendais l'apparition d'une énorme araignée.

Et j'avais devant moi l'araignée la plus grosse, la plus velue que j'avais jamais vue. D'une espèce qui n'existait pas dans le Comté, rapportée d'un pays lointain ou spécialement créée par magie noire, elle semblait prête à mordre ; sans doute était-elle venimeuse.

Une sorcière utilisant la magie des compagnons familiers fait un pacte avec une créature. Elle la nourrit de son sang ; en échange, la bête devient ses yeux et ses oreilles, elle obéit à ses ordres. Cette magie valait mieux que celle du sang ou des ossements ; j'aurais pu m'accommoder d'un chat ou d'un oiseau, mais en aucun cas d'une araignée !

Après ce que Lizzie m'avait appris de l'Épreuve, j'avais beaucoup réfléchi. J'en avais conclu qu'à tout prendre, je pourrais choisir la magie des compagnons familiers, ma préférence allant aux chats.

– Je ne veux pas d'araignée ! m'écriai-je. Il me faut un chat !

– Tu feras ce qu'on te dit de faire, petite, répliqua sèchement Maggie. Tu commenceras par t'entraîner avec une araignée parce qu'elles ne vivent pas longtemps. Plus tard, tu pourras avoir un chat.

J'observais la bête avec horreur. La simple idée de la toucher me révulsait.

Elle rampa vers moi.

Si elle allait grimper sur ma jupe… !

Ma réaction fut purement instinctive.

Levant le pied, j'écrasai cette saleté sous la semelle de mon soulier pointu.

Une clameur scandalisée s'éleva. Des visages furieux me dévisagèrent. Aujourd'hui encore, je me souviens du seul qui n'était pas déformé par la haine et la colère.

Celui de Grimalkin. Elle souriait.

Maggie me gifla avec une telle violence que les larmes me montèrent aux yeux. Puis, m'empoignant par les cheveux, elle me traîna jusqu'à la table et s'empara d'un couteau.

– Elle a profané le rituel de l'Épreuve, rugit-elle. Cette fille est-elle digne de devenir une sorcière du clan Malkin ?

– Indigne ! Indigne ! Indigne ! psalmodia le Conventus à l'unisson, faisant de nouveau vibrer le tas d'ossements.

– Mérite-t-elle la mort ? cria Maggie. Dois-je la tuer tout de suite ?

Je me tournai vers Lizzie. Son visage était impénétrable. Elle n'avait pas chanté avec ses sœurs, mais elle tenait la tête légèrement inclinée, comme pour se soumettre à la volonté du Conventus. Je ne pouvais attendre d'elle aucun secours.

– Tue-la ! Tue-la ! Tue-la ! scandaient des voix stridentes.

Maggie leva son couteau pour me l'enfoncer dans le cœur. Je fermai les yeux, mon estomac se révulsa.

J'allais mourir.

26

Les plus forts

— **A**rrête ! ordonna une voix impérieuse. J'ouvris les yeux. Grimalkin était sortie du cercle et marchait vers Maggie.

– Tu outrepasses tes droits, siffla celle-ci. Cette fille doit payer pour son impertinence.

Du coin de l'œil, je vis que Lizzie paraissait ahurie.

– Elle n'est qu'une enfant et elle a encore beaucoup à apprendre, déclara Grimalkin.

Elle tira un poignard de son fourreau, de sorte que la lame étincela à la lumière du feu.

– En lui ôtant la vie, poursuivit-elle, on gaspillerait un talent rare. Elle a du courage et mérite de passer le second test. Tâchons de savoir quelle sera sa puissance !

La poigne de Maggie se referma un peu plus fort sur mes cheveux.

– Le clan a voté sa mort. En tant que chef, c'est à moi d'accomplir la sentence. Elle a profané le rituel. Nous tuerons cette fille et nous nous rassemblerons au prochain sabbat pour une nouvelle Épreuve.

Grimalkin s'avança encore d'un pas, aussi tendue qu'un ressort, prête à bondir. Un silence de mort s'abattit sur la salle.

– Un chef de clan, ça se remplace, gronda-t-elle.

Elle balaya l'assemblée du regard.

– Un Conventus aussi !

Je lus de la peur dans les yeux des sorcières. Quelques-unes reculèrent, l'une d'elles jeta un coup d'œil vers la porte comme pour calculer ses chances de fuite. Toutes craignaient Grimalkin, même Lizzie. Moi qui croyais la tueuse du clan soumise au Conventus, exécutant ses ordres sans discussion, je découvrais un équilibre du pouvoir bien différent.

– Cette décision est stupide, poursuivit Grimalkin. Rien n'a été profané. L'Épreuve doit suivre son cours.

Sur un ton plus conciliant, elle conclut :

– Laissons Raknid en décider. S'il condamne la fille à mort, alors j'accepterai la sentence.

J'ignorais qui était Raknid. Il n'y avait aucun homme dans la salle. Le Conventus avait bien des serviteurs, mais ils n'assistaient pas à ce genre de réunion.

Maggie me lâcha les cheveux en soupirant :

– Soit ! Évitons une querelle stérile. De toute façon, le sort de cette fille sera bientôt réglé. Passons au second test !

Grimalkin acquiesça, remit son poignard au fourreau et rejoignit le cercle des sorcières. Sur un signe de Lizzie, je retournai à ma place.

J'étais reconnaissante envers Grimalkin d'être intervenue. Mais pourquoi m'avait-elle sauvé la vie ? Je n'eus pas le loisir d'y réfléchir, car la deuxième partie de l'Épreuve allait commencer.

Maggie nous observa tour à tour.

– Pour le moment, vous êtes encore là toutes les trois. Mais la mort se rapproche à chaque seconde. Je vais à présent invoquer Raknid, le Testeur. Il évaluera vos forces et désignera celle qui périra.

– Qui est Raknid ? demanda Marsha.

Je crus que Maggie refuserait de répondre, mais Marsha avait visiblement sa préférence.

– Il fut jadis un gobelin d'une force colossale, que les gens appelaient l'Éventreur de Pendle. Notre clan se servait de lui contre ses ennemis ; il en a tué des centaines en moins de quarante ans. Les étrangers le croient mort ou endormi. Mais il y a soixante ans, grâce à la magie noire, nous l'avons élevé au rang de démon. Bien que séjournant la plupart du temps dans l'obscur, il travaille toujours pour nous et revient dans notre monde sur notre invocation. Sa principale tâche est d'évaluer les futures sorcières lors de chaque Épreuve et de décider laquelle des trois devra faire don aux autres de ses forces vitales.

J'en voulais à Lizzie de ne m'avoir rien dit de ce rituel. Ma vie était en danger. J'étais entrée dans la tour tel un agneau qu'on mène à l'abattoir.

Maggie marcha vers le coffre, ôta le tissu noir qui le recouvrait et le déposa soigneusement sur la table. Je m'attendais à découvrir une haute boîte en bois. Or, c'était un récipient de métal, carré, muni de quatre pieds de fer forgés en forme de hautes pattes écailleuses terminées par trois orteils griffus. Il était fermé par un couvercle en verre percé en son centre d'un large trou rond.

Je n'avais aucune idée de ce qu'il pouvait contenir.

Sur un signe de Maggie, le Conventus entama une incantation. Je reconnus le sort d'invocation : elles appelaient le démon.

L'air se refroidit si vite que je fus prise de frissons. Je crus entendre un lointain grondement de tonnerre, puis je compris que le son venait d'en bas. Quelque chose montait-il des cachots souterrains ?

Le sol trembla soudain, ébranlant toute la tour. Un rugissement s'éleva, semblable à celui d'une bête sauvage ; la boîte métallique vibra. Puis tout s'immobilisa, et le silence revint.

Je sentis qu'une magie dangereuse était à l'œuvre. J'attendis, terrifiée, ce qui allait surgir. Devant une créature aussi puissante, personne n'était en sécurité.

Maggie désigna Gloria, et la fillette s'avança jusqu'à la chef de clan. Celle-ci, la prenant par l'épaule, la conduisit jusqu'à la boîte.

– Mets ta main là-dedans, la paume vers le haut, et laisse-la à l'intérieur, ordonna Maggie. Mais, avant, regarde Raknid.

Gloria se pencha sur le couvercle de verre, et ses yeux s'agrandirent d'effroi.

– Non ! souffla-t-elle. Je vous en prie... Je ne peux pas !

– Tu n'as pas le choix, ma fille ! Chaque sorcière de notre clan l'a fait. Et n'essaie pas de retirer la main avant que je t'en donne la permission ! Sinon, tu auras un moignon pour le restant de tes jours. Compris ?

Gloria hocha la tête et lentement, craintivement, enfonça la main par le trou circulaire. Au bout de quelques secondes, elle se mit à hurler.

À ces cris, je fus saisie de tremblements. Qu'y avait-il dans cette boîte ? Dans quelques instants, ce serait mon tour...

Maggie libéra Gloria, et la fillette retourna à sa place en serrant sa main ensanglantée contre sa poitrine. Le démon l'avait cruellement mordue. Donner une certaine quantité de son sang faisait donc partie de l'Épreuve.

Marsha se présenta alors, d'une démarche assurée. Mais, quand elle eut regardé par le couvercle de verre, son visage se décomposa. À quoi pouvait bien ressembler ce démon pour que sa seule vue provoque un tel effroi ?

En tout cas, Marsha se conduisit plus bravement que Gloria. Un cri bref lui échappa, puis elle laissa le démon s'abreuver en silence.

Bien plus vite que je ne l'aurais voulu, je fus invitée à m'avancer.

– Rien ne pourrait mieux te convenir, Alice Deane, railla la chef de clan. Ce n'est que justice, après ce que tu as fait tout à l'heure. Regarde !

Un seul coup d'œil à travers la vitre suffit à me liquéfier. Le démon avait pris la forme d'une gigantesque araignée. Son corps avait la taille d'une tête humaine, et chacune de ses huit pattes était aussi longue que mon bras.

La créature avait jadis été un gobelin velu, une espèce qui se transforme habituellement en chat, chien, chèvre ou cheval. Je n'avais jamais entendu parler d'une métamorphose en araignée. Le cas était rare et d'autant plus dangereux.

– Enfonce la main gauche dans la boîte, petite, m'ordonna Maggie. La paume en haut !

Incapable d'obéir, je tremblais, je transpirais. Parmi toutes les bestioles rampantes, les araignées étaient celles qui me terrifiaient le plus. C'était un cauchemar !

Mais Maggie avait été à deux doigts de me tuer. Si je n'obtempérais pas, je le paierais de ma vie. Grimalkin elle-même ne me sauverait pas.

Il me fallut toute ma volonté pour obliger mon bras à m'obéir. Lentement, la bouche sèche, je glissai ma main dans le trou.

Néanmoins, j'étais déterminée à ne rien montrer de ma peur ni de ma douleur. Pourquoi leur procurer ce plaisir ?

Une des pattes de l'araignée m'entoura le poignet. Le contact me fit frissonner. Je sentis une pression, et je compris que la bête m'emprisonnait la main de sorte que je ne puisse pas la retirer.

Quand elle ouvrit ses énormes mandibules, découvrant de longs crocs recourbés de serpent venimeux, j'eus le plus grand mal à retenir un cri.

Elle mordit dans le gras de mon pouce. Un grognement m'échappa, aussitôt ravalé. Je crus que deux aiguilles rougies au feu me transperçaient la chair. Le sang jaillit, formant une petite mare écarlate au creux de ma paume.

Cette torture me parut durer de longues minutes – bien plus longtemps que ce que les deux filles avaient subi avant moi. Enfin, Maggie me permit de retirer ma main.

Je ne la serrai pas contre moi comme les autres l'avaient fait. À quoi bon ? La douleur s'apaiserait plus tard – du moins si je survivais à cette nuit. Je la laissai simplement retomber le long de mon corps avant de retourner à ma place auprès de Lizzie, marquant mon passage d'une traînée de sang sur les dalles.

Une voix sortit de la boîte, aussi grinçante qu'une lime émoussée mordant un morceau de fer :

La plus faible est la fille appelée Gloria. Sa magie des ossements sera à peine digne de ce nom. Elle sera plus apte à nettoyer et cuisiner qu'à exercer la magie. Marsha, elle, deviendra une puissante sorcière de sang. Toutefois, la plus prometteuse est de loin la nommée Alice. Tout ce qu'il lui faut, c'est un compagnon familier qui lui convienne.

Le visage de Maggie se contracta de colère, et les autres sorcières marquèrent leur étonnement. Maggie aurait souhaité que je sois la plus faible et Marsha, la plus forte, j'en étais sûre. Mais j'étais désolée pour la pauvre Gloria. Ce serait elle qui perdrait la vie.

Quant à ce que la créature avait déclaré à mon propos, j'en étais stupéfaite. J'avais suivi ma formation de sorcière à contrecœur et ne me sentais aucune aptitude pour la magie noire. Je ne voulais même pas y songer.

Cependant, le démon n'avait pas terminé :

Bien qu'Alice soit la plus puissante, c'est elle qui doit laisser sa vie. Je perçois un danger. Un jour, elle deviendra une adversaire de l'obscur. Prudence est mère de sûreté. Qu'on lui prenne donc ses forces dès à présent pour les partager entre les deux autres !

– Ce n'est pas juste ! m'exclamai-je, plaidant ma cause pour la première fois. J'ai réussi l'Épreuve ! Je suis la plus forte ! Pourquoi devrais-je mourir ?

– Tais-toi, gamine ! Raknid a parlé, et la parole du Testeur fait loi. N'est-ce pas, Grimalkin ?

Maggie provoquait la tueuse du regard.

Je me tournai vers celle-ci, espérant contre toute espérance qu'elle interviendrait encore une fois. Mais elle se contenta de pincer les lèvres avec un imperceptible signe de tête.

Je suppliai alors Lizzie :

– Aide-moi ! Ce n'est pas juste ! Je suis la plus forte !

– Je ne peux plus rien pour toi, petite. La loi est la loi.

Personne ne se porterait à mon secours. C'était fini.

Je crus qu'on allait me jeter à Raknid. Au lieu de ça, les sorcières entamèrent une nouvelle psalmodie. La boîte de métal recommença à vibrer, et la pièce se réchauffa peu à peu. Quand la récitation du sortilège fut achevée, le calme revint. Raknid n'était plus là ; le démon avait regagné l'obscur.

– Amène-moi la fille ! ordonna Maggie.

Et Lizzie me poussa devant elle.

Curieusement, la chef de clan affichait un air affligé.

– J'ai exécuté cette sentence bien des fois, petite, me dit-elle, et je sais combien tu as peur. Aussi, j'aimerais t'offrir quelques mots de réconfort. Tu ne souffriras presque pas. Tu sentiras une simple pression sous ton crâne, tu sombreras dans une douce obscurité, et tu oublieras les douleurs de cette vie. De plus, tu seras utile à ton clan ; tu ne mourras pas en vain. Deux autres jeunes sorcières, Marsha et Gloria, en recevant ta force, nous rendront les plus grands services. Et tu as beaucoup à leur donner ! Tu leur laisses un très bel héritage. Sois donc heureuse de ce que tu accomplis pour nous !

Je jetai un coup d'œil vers Lizzie. Je n'attendais plus aucune aide de sa part, elle m'avait bien fait comprendre qu'elle ne s'opposerait pas aux lois du clan.

J'espérais simplement qu'elle montrerait un minimum de tristesse à l'idée de me voir mourir. Ou au moins un peu de dépit d'avoir perdu son temps à m'instruire. Mais ses traits demeuraient impassibles, et ses yeux, aussi inexpressifs que deux morceaux de charbon.

– Ce n'est pas juste! hurlai-je. Je me fiche de ce que j'ai à donner! Pour vous, ma vie ne vaut pas un clou! Et moi, je serai morte!

– Il n'y a pas que du désagrément à être morte, reprit Maggie. Nous porterons ton corps à la Combe aux Sorcières, nous l'enterrerons sous une mince couche de terre recouverte de feuilles. Tu y seras bien. Et, quand le premier rayon de la pleine lune touchera ta tombe, tu reviendras à la vie et tu partiras en chasse. Il y a tant de choses délicieuses à manger: des rats, des mulots, des lapins et même parfois des humains, si tu réussis à en capturer!

Je protestai d'une voix stridente:

– Vous mentez! C'est le sort des sorcières mortes, et je ne suis pas encore sorcière! Je vais simplement tomber dans l'obscur, et vous le savez!

Maggie resta muette. C'était la vérité.

Je courus vers la grande porte avant de comprendre que je n'avais aucune chance de m'échapper par là: des barres de fer la fermaient. Il m'aurait fallu plusieurs minutes pour les tirer, et je n'aurais sans doute pas eu la force de faire pivoter le lourd battant.

De plus, le pont-levis était certainement levé. Mais ma fuite était purement instinctive ; j'étais un animal pris au piège qui voit s'approcher le ramasseur de gibier.

Les sorcières eurent vite fait de me rattraper et de me ramener devant Maggie. On me lia les mains derrière le dos et on m'obligea à m'agenouiller. Je me refusais à croire qu'une telle chose m'arrivait. Des souvenirs d'enfance traversaient mon esprit engourdi.

Je revoyais mon père et ma mère se battre comme chien et chat, lui tentant de l'étrangler, elle, de lui arracher les yeux avec ses ongles. Des images heureuses me revenaient aussi, mes promenades dans les bois au milieu des chants d'oiseaux. Ma vie avait à peine commencé ; et voilà qu'elle se terminerait ici, dans la lugubre tour Malkin.

J'étais impuissante. Les sorcières avaient pris leur décision, et je n'étais pas assez forte pour les affronter toutes.

Tandis que deux sorcières me maintenaient, Marsha et Gloria vinrent m'encadrer, une main sur mon épaule. Puis Maggie, posant sa paume sur ma tête, entama l'incantation qui transférerait mes forces vitales dans les corps des deux filles jusqu'à ce que je m'effondre, vidée, inerte, sur les dalles.

J'eus alors l'impression qu'on me comprimait lentement le cerveau. La douleur, d'abord légère, augmenta comme si mon crâne allait éclater. Mes pensées m'échappaient ; il ne me restait plus qu'un mélange de colère et de ressentiment. J'allais mourir, tandis que Marsha et Gloria vivraient ! C'était injuste !

Sans doute ai-je hurlé. Ce n'était peut-être qu'un cri de rage. Tout ce que je sais, c'est que les mains qui me tenaient me relâchèrent et que Maggie tomba à la renverse.

Je me relevai d'un bond. Maggie se tordait sur le sol, les yeux révulsés, l'écume aux lèvres, crachant des morceaux de dents. Mes deux gardiennes, à genoux, serraient leurs mains contre leur poitrine. Les deux filles sanglotaient.

L'assemblée fixait sur moi un regard terrifié. Que s'était-il passé ? Mais, cette fois encore, Grimalkin souriait.

Elle s'avança pour s'adresser à Lizzie :

– Cette fille est libre. C'est une autre qui mourra.

Lizzie acquiesça en silence. On me détacha les mains. La lourde porte de la tour s'ouvrit, le pont-levis s'abaissa. Abasourdie, je sortis dans l'air frais, Grimalkin à mon côté. Lizzie marchait derrière nous. J'étais en vie.

Arrivée sur le pont-levis, la tueuse se pencha pour me souffler à l'oreille :

– Moi aussi, j'aurais écrasé cette araignée. Nous sommes ainsi faites, toi et moi : nous broyons ce qui nous déplaît, nous détruisons ce qui nous menace.

Tout le long du chemin, Lizzie refusa de répondre à mes questions. Elle n'y consentit qu'une fois de retour à la maison.

– On ne reviendra pas me chercher ? demandai-je. Ma vie n'est plus en danger ?

– Non, petite. Tu n'as plus rien à craindre. Maggie n'était pas assez forte pour t'ôter ton pouvoir. Quand elle se sera remise du choc, une autre des deux filles mourra à ta place : Gloria, la plus faible.

– Qu'est-ce qui a empêché Maggie d'agir ?

Lizzie m'adressa un sourire indéchiffrable.

– Qui sait ? Une sorcière qui veut prendre le pouvoir d'une autre doit être plus puissante que sa victime. Sinon, elle le paye cher.

– Tu veux dire... que je suis plus forte que Maggie ? m'exclamai-je, stupéfaite.

– Pas encore, ma fille ! Ne te fais pas d'illusions ! Tu as encore beaucoup à apprendre. Mais Maggie n'aurait pas eu une telle réaction si tu ne possédais pas un potentiel exceptionnel.

27

Le démon araignée

J e me rappelai l'Épreuve comme si elle s'était
déroulée la veille. La prévision de Raknid
s'était révélée exacte. Je m'opposais au Malin et à ses
serviteurs ; de ce fait, Raknid était mon ennemi.
Si ça ne tenait qu'à lui, je serais bientôt morte.

Mais je ne me laisserais pas faire ! J'étais forte ?
Eh bien, je me défendrais !

– Là-haut ! me cria Thorne. Regarde !

C'était le skelt qui nous avait conduites jusqu'ici ;
il gigotait au-dessus de nos têtes, comme suspendu
au bout d'une corde.

Non, pas une corde... La créature était entortillée
dans un long fil de soie sorti de l'abdomen du démon.

Lui, on ne le voyait pas, il restait caché quelque part dans l'obscurité.

Puis le skelt fut hissé vers les sombres hauteurs du plafond, que la lumière de ma chandelle ne pouvait atteindre. Là où le démon attendait sa proie.

La créature était cruellement récompensée de nous avoir guidées jusqu'à la salle du trône.

– Raknid est peut-être trop occupé par le skelt pour remarquer notre présence, suggéra Thorne, sans conviction.

Nous ne nous faisions aucune illusion. Raknid savait que nous étions là. Il aurait vite fait de vider le skelt de sa substance, et nous serions le mets suivant à son menu. Nous ne sortirions pas de cette salle sans le combattre.

– Trouvons la dague et filons d'ici, soufflai-je en m'élançant vers l'énorme trône.

À mesure que j'en approchais, mon appréhension grandissait. Nous avancions prudemment, épaule contre épaule. Le trône était dressé au-dessus du sentier herbu, assez haut pour que nous puissions marcher dessous sans nous courber.

Ça paraissait trop facile. Était-ce un piège ? Y avait-il un autre gardien ? À peine cette idée m'était-elle passée par la tête que je captai un mouvement, et un étrange regard réfléchit la flamme de ma chandelle.

Une multitude d'yeux nous observaient, appartenant tous à d'énormes insectes. Le plus proche ressemblait à un gigantesque mille-pattes, dont le corps
ondulant était aussi épais que mon bras.

Encore des horreurs rampantes...

Pire encore : ces créatures avaient des faces
humaines.

Le mille-pattes parla, d'une voix semblable au
bruit du vent dans les feuilles mortes et chargée d'une
tristesse infinie :

*Nous avons vécu sur terre, autrefois, dans des corps
humains. Nous servions le Malin, mais nous l'avons
mécontenté. Nous sommes condamnés à ramper sous
son trône pour l'éternité, tel est notre châtiment. Ceux
qui vivent sous les voûtes de la basilique sont comme
nous, il y en a d'autres dans les souterrains les plus pro-
fonds de la cité. Nous n'aimons pas qu'on nous voie.
Partez, et laissez-nous à nos tourments !*

La créature fixa la flamme de la chandelle, et ses
yeux s'emplirent de larmes. Thorne la contemplait,
muette de stupeur et de pitié.

Ce fut donc moi qui déclarai :

– Nous quitterons ces lieux dès que nous aurons
trouvé une dague, cachée sous le trône. Montrez-
nous où elle est, et nous partirons.

Aucune de ces malheureuses créatures ne dit mot.
Accoutumées qu'elles étaient à l'obscurité, elles

étaient éblouies par la faible lueur de la chandelle. Elles se détournèrent et prirent la fuite.

Sans un mot, Thorne et moi entamèrent nos recherches. Où la dague pouvait-elle se cacher ? L'herbe ne formait plus le tapis verdoyant et fleuri qui nous avait amenées jusqu'ici. Nos pieds s'enfonçaient à chaque pas dans son épaisseur détrempée, soulevant une fade odeur de pourriture. Divers débris l'encombraient : des poils, des peaux mortes. Je les écartais du bout de ma chaussure pour éviter de les toucher. Nous ne trouvâmes rien.

– La dague est peut-être enterrée, suggéra Thorne.

– Ou bien elle a été déplacée... Morwène savait que nous venions, elle a pu s'en emparer.

Je ressentis soudain un pincement à l'estomac.

– À moins que quelqu'un d'autre ne l'ait cachée ailleurs...

Thorne hocha la tête.

– Tu penses à Raknid ? Oui, c'est très probable.

Nous sortîmes de dessous la masse du trône pour regarder en l'air. On ne voyait plus le skelt. Des fils plus gros que mon index pendaient le long des murs et recouvraient une partie du sol.

J'élevai ma chandelle à bout de bras. Elle éclaira le bord inférieur d'une toile. Celle-ci était immense, et des choses desséchées, mortes depuis longtemps, y étaient accrochées. Les victimes de Raknid. Ni des mouches ni des insectes. On distinguait encore des bras, des jambes, des têtes.

C'étaient des humains.

– Si j'étais Raknid, déclara Thorne, je cacherais la dague tout en haut de ma toile pour que quiconque voudrait la prendre soit obligé d'y grimper.

– Et c'est ce que je vais faire..., murmurai-je.

Je refusais de céder à la peur : je m'étais engagée trop avant pour renoncer maintenant.

Thorne me désigna un des fils :

– Tu vas y rester collée. Et, dès que tu l'auras touché, la vibration alertera le démon araignée. Il se jettera sur toi et t'injectera son venin. Tu seras paralysée. Il n'aura plus qu'à t'emporter dans un coin d'ombre pour festoyer. Le pire, c'est que tu resteras consciente jusqu'à la fin. Il ne se contentera pas de boire ton sang. Il aspirera ton cerveau. Il videra ton corps de tous ses fluides. Il ne laissera de toi qu'une enveloppe desséchée. Tu ne comprends donc pas ? Il *veut* que tu grimpes. N'essaie même pas, Alice ! Il existe sûrement un autre moyen.

À cet instant, comme s'il avait entendu chaque mot de notre conversation, Raknid nous parla depuis l'obscurité de la voûte, d'une voix qui agaçait les dents :

Oui, viens, petite sorcière ! Montre ton courage ! Ton amie morte n'est qu'une froussarde, ne l'écoute pas !

C'est moi qui ai Douloureuse, la lame que tu cherches. Seras-tu assez brave pour venir la prendre?

— C'est *moi* qui vais grimper! gronda Thorne, furieuse. Je me collerai à sa toile, mais je ne serai pas une proie facile! Mon poignard lui arrachera les yeux!

— Attends! dis-je en la retenant par le bras. Laisse-moi d'abord lui parler.

Une rage sourde montait lentement en moi. Dans la tour Malkin, ce démon avait bu mon sang, puis il m'avait condamnée à mort. À présent, je ne voulais pas seulement m'emparer de la dague; je voulais qu'il paye pour le mal qu'il m'avait fait.

— Tu mens, lui criai-je dans le noir. Tu n'as pas la lame. Je ne te crois pas.

Pourquoi mentirais-je? La lame est ici, avec moi.

— En ce cas, montre-la-moi! Prouve-moi que tu l'as! Pas question que je monte pour rien!

Tu nous as causé bien des ennuis, petite sorcière. Je savais qu'il en serait ainsi quand j'ai goûté ton sang. Tu es forte, pour une fille aussi jeune. Tu aurais pu devenir sans égale. Mais tu ne vivras pas assez longtemps pour développer ton potentiel. J'avais senti quel danger tu représentais. Tu es une grave menace pour mon maître. Je vais te montrer la lame, parce qu'elle te conduira jusqu'à moi! Alors, je te tuerai.

L'immense toile se mit à vibrer. Raknid se déplaçait. Il descendait vers nous. Quelques secondes plus tard, il était au centre de sa toile.

Il était énorme, bien plus gros que dans la boîte de métal à la tour Malkin. Son corps recouvert de longs poils d'un brun-rouge avait la taille d'un taureau ; avec ses huit pattes étendues, il paraissait trois fois plus grand.

La dague était à côté de lui, collée à la toile.

– Je la vois, lançai-je. Mais est-ce bien Douloureuse ? À cette distance, je ne m'en rends pas compte. Rapproche-la, que je puisse m'en assurer !

Non, petite sorcière ! C'est à toi de monter jusqu'ici.

Je chuchotai à l'oreille de Thorne :

– Quand il tombera, tue-le !

Ses yeux s'agrandirent de stupéfaction.

Je m'avançai et approchai la flamme de ma chandelle du fil le plus proche. Il noircit, sans prendre feu. Ma chandelle vacilla et faillit s'éteindre.

– Pauvre petite idiote ! ricana Raknid.

Mais je n'étais pas idiote. Simplement prête à tout pour réussir. Je pris le temps de rassembler mes forces magiques. Je ne prononçai pas un mot. Je n'avais nul besoin de formules – même si je devais en subir plus tard les conséquences.

Je n'avais pas oublié la mise en garde d'Agnès Sowerbutts : « Ce pouvoir provient du cœur même de l'obscur et, si tu t'en sers pour un oui ou pour un non, il te détruira. Il s'emparera de toi et te volera ton âme. »

Je devais pourtant courir ce risque.

Je n'eus qu'à le souhaiter... et ce fut fait.

La chandelle se ranima ; le fil s'enflamma, et le feu se propagea rapidement à travers la toile jusqu'au démon araignée.

Raknid ne réagit pas tout de suite. Peut-être n'y croyait-il pas ?

La toile entière flamba soudain dans un éblouissement de lumière orange et jaune si intense que j'en fus aveuglée.

Raknid brûlait. Il brûlait, et ses cris stridents me perçaient les tympans comme des aiguilles acérées. Sa fourrure brun-rouge tourna au noir.

Et il tomba. Il tomba à la vitesse d'une météorite qui s'écrase sur la terre.

Et la dague tomba avec lui.

Tel un faucon quittant le poing de son fauconnier, Douloureuse fila vers ma main.

Je la saisis par le pommeau avant de la lancer à Thorne.

La lame tourbillonna dans les airs, et Thorne l'attrapa à son tour.

– Tue-le ! ordonnai-je.

Raknid, toujours hurlant, heurta le sol dans un jaillissement d'étincelles.

Thorne exécuta la sentence.

Le démon se tut.

Et nous partîmes en courant.

28

Le courage de Thorne

Quand nous nous arrêtâmes pour reprendre haleine, j'examinai la dague. Elle ressemblait aux autres armes destinées au rituel. Si leur longueur variait, leur pommeau était identique, orné d'une tête de skelt aux yeux de rubis. Mais cette lame était Douloureuse, celle qui me prendrait la vie.

À son contact, une vague de tristesse me submergea. Je n'avais jamais éprouvé pareille impression. Ce n'était pas simplement lié à l'idée de ma mort prochaine. Il me semblait partager soudain l'affliction de millions d'âmes. Titubante, je faillis lâcher la dague. Thorne dut me retenir par le bras.

– Ça va ? Tu te sens bien ? s'inquiéta-t-elle.

Ne voyant pas l'utilité de lui décrire mon expérience, je me contentai de sourire.

– Je suis fatiguée, c'est tout. Allons-y ! Il faut que je parte au plus vite.

Localiser le portail exigea des heures et des heures de recherche. La peur ne me quittait pas ; je percevais autour de nous la présence de centaines d'êtres malveillants. Et nos ennemis avaient mille raisons de se mettre en travers de notre route.

Thorne avait blessé Belzébuth et tué Tusk. Nous avions combattu les sorcières d'eau, et nous étions présentes quand Morwène avait été abattue. Nous avions détruit le démon Raknid. Et nous tentions à présent de nous échapper en emportant Douloureuse, l'une des trois armes qui serviraient à anéantir le Malin.

Tout serait mis en œuvre pour nous capturer.

Nous arrivâmes enfin au portail. Nous le franchîmes sans difficulté et retrouvâmes le sentier blanc qui reliait les différents domaines en enjambant les abysses.

Nous nous y engageâmes et ce fut là, à quelques pas d'une galerie, que le démon Tanaki nous tomba dessus.

En une fraction de seconde, dans un fracas de tonnerre, le père du kretch fut sur nous.

C'était un colosse, bien trop grand pour tenir dans une caverne. Mais il se matérialisa entre nous et l'entrée de notre refuge. Alors que j'avais presque réussi ma mission, ma dernière chance de m'échapper était réduite à néant.

Je n'aurais su dire si Tanaki flottait ou si ses pieds avaient trouvé un appui en contrebas, mais il enfourchait le sentier, une jambe de chaque côté, tandis que son torse et sa tête nous dominaient de toute leur hauteur. Son aspect était terrifiant ; comme son fils le kretch, il avait quelque chose d'un loup.

D'énormes canines pointues dépassaient de sa mâchoire allongée. Il rugit, et son haleine fétide passa sur nous telle une vapeur brûlante, m'obligeant à me protéger le visage de mon bras. Je pouvais tenir tout entière dans sa gueule ; il ne ferait de moi qu'une bouchée, à peine mâchée, aussitôt avalée.

Une fois de plus, Thorne s'interposa entre la menace et moi. Mais, en dépit de sa bravoure et de son habileté au combat, quelle chance avait-elle contre un monstre pareil ?

Elle tirait déjà une lame de son fourreau. Le démon, aussi rapide qu'il était gigantesque, repoussa l'attaque d'un revers de sa patte griffue. Thorne sauta en arrière. D'un coup oblique à l'épaule, Tanaki la fit tomber sur le sentier.

S'accrochant à celui-ci de ses deux mains mons-
trueuses, il se pencha, la gueule ouverte, prêt à
refermer ses crocs sur sa victime.

Je devais agir.

Employer ma magie encore une fois ?

J'avais sûrement atteint le point de non-retour...

29

Au cœur des ténèbres

Chaque fois que j'avais puisé dans mes pouvoirs, la marque en forme de croissant, sur ma cuisse, s'était élargie. Elle était à présent presque aussi ronde que la pleine lune.

La fiole de sang que j'avais utilisée pour tenir Tom hors d'atteinte du Malin n'avait fait que peu de différence. Mais quand, en Irlande, je l'avais sauvé de la mort, une telle énergie était sortie de moi que la terre avait tremblé. Et ma marque était devenue une demi-lune.

Plus tard, après la mort de Thorne, j'avais utilisé la magie pour aider Grimalkin à reprendre la tête du Malin à ses servantes. Elles s'apprêtaient à faire voile vers l'Irlande, où elles auraient réuni la tête au corps, pour redonner au Démon son apparence première.

J'avais provoqué une tempête et incendié leur bateau. Grâce à quoi, Grimalkin avait triomphé. Mais j'avais payé le prix fort. Même avant que j'aie brûlé Raknid, la marque sur ma cuisse était déjà une lune gibbeuse. Depuis, je n'avais plus osé la regarder. Une nouvelle projection de magie, et le cercle serait parfait. J'appartiendrais alors à l'obscur pour l'éternité.

Pauvre Thorne, si courageuse ! Elle avait souffert une horrible agonie, sur la terre, les pouces tranchés par le mage Bowker à la lisière de la Combe aux Sorcières. Maintenant, elle allait connaître une seconde mort entre les mâchoires du démon Tanaki.

Comment aurais-je pu le permettre, après tout ce qu'elle avait fait pour moi ?

Les genoux tremblants, le cœur cognant contre mes côtes, je m'obligeai à avancer pour me placer entre Thorne et la gueule monstrueuse.

Je n'allais pas gaspiller ma magie « pour un oui ou pour un non », pour rester sèche sous la pluie ou écarter des branches basses sur mon passage ! J'allais l'utiliser pour sauver Thorne des dents de Tanaki.

– Recule ! lançai-je en menaçant le démon de mes poings. Laisse-la ! Tu ne l'auras pas !

L'énorme tête s'immobilisa. Je lus dans les yeux affamés la colère, puis l'amusement et finalement le mépris.

Ma fureur monta comme une bile dans ma gorge.

– Tu ne sais pas qui je suis, grondai-je. Tu ne sais pas qui je suis *vraiment* !

Le rire moqueur du démon roula au-dessus des abysses.

Je déclarai alors avec le plus grand calme, les mots effleurant mes lèvres, comme chuchotés par quelqu'un d'autre :

– *Je suis Alice, et tu n'es pas assez fort pour m'affronter !*

J'avais brûlé Raknid, je repousserais Tanaki.

Il le fallait, quel que soit le prix à payer.

Ma rage se transforma en feu. Je frémis d'extase quand je le sentis monter de mon ventre, courir le long de mes bras avant de jaillir par mes poings fermés. Deux jets incandescents atteignirent leur cible au même instant : les yeux du démon.

Si intense était mon exaltation que je crus flotter au-dessus du sentier. Le démon hurlait, ses yeux qui fondaient roulaient sur son mufle. Puis, tel un arbre gigantesque abattu par la hache du bûcheron, il bascula lentement dans les abysses.

J'aidai Thorne à se relever. Elle me fixa d'un air hagard, ouvrit la bouche pour parler, sans réussir à articuler un seul mot. Je l'entourai de mon bras, et elle s'appuya sur moi tandis que, d'une démarche vacillante, nous gagnions l'entrée de la grotte.

Une fois à l'abri, Thorne retrouva ses forces. Je repris donc ma chandelle au fond de ma poche, l'allumai d'un simple souhait et nous conduisis dans l'obscurité.

Nous passâmes à trois reprises des portails qui ouvraient sur d'autres domaines. Nous traversâmes une fois un territoire de glace et de neige où nous serions mortes de froid si nous n'avions pas trouvé très vite la sortie.

Nous repassâmes par le domaine où les skelts avaient surgi du lac bouillant et le quittâmes facilement, le portail n'ayant pas changé de place. Mais je sentais ma fatigue se muer en épuisement.

Nous arrivâmes finalement dans un lieu où régnait une obscurité totale. Nous entendions des rugissements, un martèlement de pattes gigantesques qui se rapprochait. Par chance, le portail nous apparut avant que les prédateurs invisibles ne nous aient rattrapées.

Cependant, mon angoisse montait. Je me sentais de plus en plus faible. Je devais sortir de là au plus vite.

N'était-il pas déjà trop tard ?

Nous avions regagné le sentier blanc. Il s'enfonçait dans une galerie au pied d'une haute falaise noire. Thorne m'assura qu'elle menait au domaine de Pan. Au-delà, le monde extérieur m'attendait, la terre des vivants.

Nous y étions presque.

Presque...

Au bout de quelques minutes, Thorne posa une main sur mon épaule.

– Reposons-nous un peu. J'ai à te parler.

Je tremblais de fatigue, une halte était la bienvenue. Nous nous assîmes en tailleur, l'une en face de l'autre, et je posai la chandelle vacillante entre nous.

– Comment as-tu réussi ça ? demanda Thorne. Comment as-tu repoussé le démon ?

Je répondis d'un haussement d'épaules.

– Et Raknid ? reprit Thorne. Tu as brûlé sa toile, tu l'as fait tomber sur le sol, en flammes. Je n'ai eu qu'à l'achever. Et la dague a volé dans ta main comme si elle avait des ailes. Grimalkin m'avait dit que ta magie était puissante. Mais à ce point ! Je n'ai jamais vu une sorcière disposer d'un tel pouvoir.

– Tanaki est-il vraiment détruit ? demandai-je pour changer de sujet.

– Ici, on n'est jamais sûr de rien. Je te l'ai dit, si un être né et mort sur terre est tué ici une seconde fois, il cesse d'exister, son âme se dissout. Le kretch a donc connu une fin définitive. Morwène elle aussi est partie pour toujours. Mais Tanaki est différent. Il possède une forte capacité de régénération. S'il a survécu à sa chute, il retrouvera ses yeux. Quand il est sur une piste, il ne dévie jamais de sa route tant que sa volonté n'est pas accomplie. Chaque défaite le rend plus fort. Chaque combat augmente sa vigueur. Raknid lui-même n'est peut-être pas définitivement détruit. Il a l'éternité pour se régénérer. Et maintenant d'autres entités assoiffées de vengeance vont nous prendre en chasse...

Je ne fis aucun commentaire. Je ne trouvais pas les mots capables de réconforter Thorne, qui en avait encore plus besoin que moi. Moi, je quitterais bientôt l'obscur tandis qu'elle y resterait, à la merci des serviteurs du Malin. Beaucoup étaient comme Tanaki : ils n'abandonnaient jamais.

Nous nous remîmes en route. Puis, après une autre série de grottes et de galeries, nous retrouvâmes le sentier blanc. Cette fois, il ne menait pas à une caverne, mais vers une minuscule étoile verte, qui grossit rapidement jusqu'à devenir un cercle, et enfin une oasis de vert flottant au-dessus des abysses.

Nous avions retrouvé le domaine de Pan.

— Tu salueras pour moi celle qui m'a tout appris, Grimalkin, déclara Thorne. Dis-lui que je suis désolée d'avoir faibli et de t'avoir trahie. Dis-lui aussi que je suis revenue t'aider ; que sa parole m'accompagne dans l'obscur et que je m'efforce de devenir ce qu'elle voulait que je sois : aussi brave dans la mort que dans la vie.

– Et tu y as réussi, n'en doute pas, lui assurai-je avec un sourire. Je lui raconterai tout. Comment tu as coupé ses pouces au démon Belzébuth, frappé Raknid entre les deux yeux avant de lui trancher les pattes. Ça va lui plaire. Elle n'aurait pas fait mieux !

Nous nous étreignîmes longuement, et l'émotion me serra la gorge. Je n'avais peut-être plus que peu de temps à vivre, mais au moins je reverrais la terre encore une fois.

Je rentrais chez moi. Thorne était piégée dans l'obscur pour toujours à moins qu'elle ne soit finalement victime d'un quelconque prédateur – alors, elle ne serait plus rien, son âme s'effacerait.

Je me dirigeai vers l'oasis verdoyante. À l'instant d'y pénétrer, je regardai en arrière.

Thorne s'éloignait déjà, sa silhouette rapetissant à chaque pas.

Une grande tristesse m'envahit.

30

Du bon et du mauvais

Dès que je fus dans le domaine de Pan, je relevai ma jupe pour examiner la marque sur ma cuisse.

J'eus d'abord un coup au cœur : elle avait tout de la pleine lune. Cependant, je ne sentais en moi aucune différence, et, en y regardant mieux, je constatai que la marque n'était pas encore *complètement* ronde.

Il restait un espoir.

Je finis par trouver Pan, dans son habit de feuilles et d'écorce, jouant de la flûte assis sur une souche, comme lors de notre dernière rencontre. Tous les dangers que j'avais affrontés dans l'obscur ne me semblaient plus qu'un lointain cauchemar.

Pan était le même garçon au visage avenant, dont seuls les oreilles pointues et les ongles de pied recourbés révélaient qu'il n'était pas humain.

Abaissant sa flûte, il me sourit ; je lui rendis son sourire.

— Tu as réussi ! s'exclama-t-il en désignant la dague à ma ceinture.

— J'ai trouvé l'arme que je cherchais, mais je crains d'être en retard. J'ignore combien de jours ont passé, sur terre. A-t-on déjà célébré Halloween ?

— Nous sommes le trente septembre. Il reste un mois avant Halloween. Tu ne reviens pas trop tard. Mais souviens-toi ! Tu as pénétré dans mon domaine sans y être invitée. Avant de retourner dans ton monde, tu dois me payer le prix de ton insolence.

— Eh bien, dis-moi quel est ce prix !

Je retins mon souffle, dans l'attente de ce qu'il allait exiger.

Il me sourit de nouveau.

— Je t'ai apporté mon aide, à toi de m'apporter la tienne !

— En quoi puis-je t'aider ?

— Au moment voulu, je te le dirai. Ce n'est pas un prix élevé. Tiens-toi simplement prête à répondre à mon appel. Quelle que soit ton occupation, dès que tu entendras le son de ma flûte, tu viendras à moi. Tu as compris ?

– J'ai compris, lui assurai-je.

J'étais dans une telle impatience que j'aurais accepté n'importe quoi.

– Tu viendras ?

– Oui. Dès que j'entendrai ta flûte, je viendrai.

Qu'aurais-je pu dire d'autre ? Si je n'avais pas accepté, il ne m'aurait pas laissée partir.

– En ce cas, retourne dans ton monde et fais ce que tu as à faire !

Tout se mit à tourner autour de moi. Prise de vertige, je fermai les yeux.

Quand je les rouvris, j'étais assise dans l'herbe, adossée à un tronc d'arbre. J'étais revenue dans la forêt, près de la rivière.

J'étais chez moi.

Je pris aussitôt la route de Chipenden. J'avais hâte de revoir Tom. Il nous restait un mois pour être ensemble avant le rituel, et je comptais bien en profiter.

L'après-midi finissait, le soleil était encore chaud. Il faisait beau, dans le Comté, en ce dernier jour de septembre. La fumée des cheminées s'élevait, tranquille, au-dessus des bois. Je pris le chemin de gauche, qui me mènerait chez le vieux Gregory en contournant le village.

Or, quelqu'un se tenait à mi-pente, dans l'ombre des arbres.

Grimalkin.

Depuis combien de temps m'attendait-elle ? Sans doute avait-elle su par scrutation à quel moment je sortirais de l'obscur. Je constatai avec soulagement qu'elle portait toujours le sac de cuir renfermant la tête du Malin. Mais elle serrait quelque chose d'autre dans sa main gauche. Un livre, un mince volume relié de cuir brun.

– J'ai deux nouvelles, m'annonça Grimalkin. Une bonne et une mauvaise.

Devant son visage lugubre, je sentis mon cœur s'emballer.

– Ça concerne Tom ? m'enquis-je d'une voix tremblante. Il ne lui est rien arrivé, j'espère !

– Tom va bien, Alice. Ce que j'ai à te dire ne le regarde pas. Mieux vaut même qu'il n'en sache rien.

– De quoi s'agit-il, alors ?

– La mauvaise nouvelle, c'est que tu n'avais pas besoin de descendre dans l'obscur, en fin de compte. La dague que tu rapportes ne nous sera d'aucune utilité. Tu as mis ta vie et ton âme en péril pour rien. La bonne nouvelle, c'est que tu ne mourras pas sous le couteau de Tom. Tu ne seras pas sacrifiée. J'ai trouvé un autre moyen de détruire le Malin.

Je n'en croyais pas mes oreilles.

– Tiens, poursuivit Grimalkin en me tendant le livre. Voilà tout ce qu'il nous faut.

Je ressentis une répugnance inexplicable à toucher cet objet. Dès qu'il fut entre mes mains, je compris pourquoi. Le titre était gravé en lettres d'argent sur la couverture de cuir brun, quatre mots qui me glacèrent le sang : *Le Codex du Destin*.

En dessous, également en argent repoussé, un motif hideux représentait la tête et les membres antérieurs d'un skelt.

La repoussante créature buveuse de sang m'accompagnait souvent, ces derniers temps : l'une d'elles m'avait aidée dans l'obscur, sa tête ornait les pommeaux des épées du héros. Et maintenant elle était représentée sur ce livre... Ce ne pouvait être une simple coïncidence. Quel rapport avait-elle avec la destruction du Malin ?

Cet ouvrage est le plus puissant grimoire jamais écrit. On prétend qu'il a été dicté par le Malin en personne à un mage appelé Lukrasta. Les sorcières de Pendle connaissent le potentiel du Codex, et quelques-unes ont passé leur vie à le chercher. Il ne contient qu'une unique et très longue incantation, qui doit être récitée sans la moindre inexactitude. Celui qui réussira à la lire à haute voix et d'une seule traite – et cela prend des heures – obtiendra des pouvoirs dignes d'un dieu : l'invulnérabilité et l'immortalité.

Le seul problème, c'est qu'en donner une lecture parfaite est impossible. Tous ceux qui ont tenté de le faire sont morts – Lukrasta compris. Une légère hésitation, une prononciation approximative, et c'est fini.

– Toi, Alice, tu réussiras, me déclara Grimalkin. Ta magie augmentera ta concentration et te permettra d'aller au bout. Alors, avec ce que *Le Codex du Destin* t'aura donné, tu détruiras le Malin.

Je fixai la tueuse, abasourdie. Je ne mettais pas sa parole en doute. Le pouvoir du livre et mes propres forces magiques suffiraient à accomplir la tâche.

Mais à quel prix pour moi ?

Au bout du compte, ne valait-il pas mieux que je sois sacrifiée ?

Ce que Grimalkin me révéla alors m'obligea à mettre de côté mes propres préoccupations.

– Je dois également t'annoncer l'approche d'un nouveau danger, reprit-elle. Mes pérégrinations m'ont conduite très loin au nord, où j'ai rencontré une étrange espèce de non-humains, les kobalos. Leurs mages sont redoutables ; ils manient une magie très particulière qui, tôt ou tard, menacera le Comté. Ils possèdent l'art de créer des êtres monstrueux, et ils réduisent les humaines en esclavage, car ils n'ont pas de femelles.

– Pas de femelles ? Comment ça ?

– Ils ont exterminé les leurs, il y a des années de cela, précisa Grimalkin. Je crains qu'ils ne franchissent bientôt les frontières de leur territoire pour se lancer dans une guerre qui aurait les pires conséquences pour l'humanité. Les hommes et les garçons seraient massacrés, les filles et les femmes capturées. L'urgence est de détruire rapidement le Malin. Après quoi, nous nous préparerons à affronter ce nouveau péril. Alice, il faut utiliser *Le Codex du Destin* !

Passer si près de la maison du vieux Gregory sans voir Tom m'emplissait de chagrin. Il m'avait tellement manqué... Quand Grimalkin m'entraîna hors de Chipenden, je crus que mon cœur se brisait.

Mais elle avait raison. *Le Codex du Destin* nous offrait une nouvelle chance. Et nous ne pouvions en parler ni à Tom ni à son maître, car ils s'y seraient violemment opposés.

Ma magie me donnera la concentration nécessaire pour mener à bien l'interminable déclamation de la formule, je n'en doute pas. Alors, grâce aux pouvoirs que j'aurais acquis, je détruirai le Malin.

Pour moi, cependant, les conséquences seront terribles. La marque sur ma peau deviendra une lune noire, ronde et pleine. J'appartiendrai à l'obscur pour toujours, je deviendrai une créature sans conscience, sans compassion, dépourvue de tout sentiment humain.

Telle est la voie sur laquelle je m'engage. Et c'est un sacrifice bien plus douloureux que de mourir de la main de Tom Ward.

J'habite désormais avec Grimalkin une maison en ruine non loin de celle de l'Épouvanteur. J'y ai vécu autrefois, à l'époque où Lizzie fomentait la mort de John Gregory, afin de libérer Mère Malkin de la fosse où il l'avait enfermée. C'est de là que je venais le jour où j'ai rencontré Tom pour la première fois.

Maintenant, c'est le lieu où je connaîtrai la victoire ou la mort.

Je serai brave.

Je ferai ce qui doit être fait.

Je suis Alice.

Cet ouvrage a été mis en pages
par DV Arts Graphiques à La Rochelle

Impression réalisée par
La Tipografica Varese Srl, Varese
pour le compte des Éditions Bayard

Imprimé en Italie